Le porc
en toutes
saisons

Conception graphique et infographie: Anne Bérubé et Manon Léveillé
Révision et correction: Annick Loupias et Odette Lord

Le Porc du Québec remercie le chef Mario Julien
pour son aimable collaboration à cet ouvrage.

Données de catalogage avant publication (Canada)

Le porc en toutes saisons

1. Cuisine (Porc).   I. Fédération des producteurs de porcs du Québec.

TX749.5.P67P67   2001   641.6'64   C2001-941553-2

DISTRIBUTEURS EXCLUSIFS:

* Pour le Canada
  et les États-Unis:
  MESSAGERIES ADP*
  955, rue Amherst
  Montréal, Québec
  H2L 3K4
  Tél.: (514) 523-1182
  Télécopieur: (514) 939-0406
  * Filiale de Sogides ltée

* Pour la France et les autres pays:
  VIVENDI UNIVERSAL PUBLISHING SERVICES
  Immeuble Paryseine, 3, Allée de la Seine
  94854 Ivry Cedex
  Tél.: 01 49 59 11 89/91
  Télécopieur: 01 49 59 11 96
  Commandes: Tél.: 02 38 32 71 00
                 Télécopieur: 02 38 32 71 28

* Pour la Suisse:
  VIVENDI UNIVERSAL PUBLISHING SERVICES SUISSE
  Case postale 69 - 1701 Fribourg - Suisse
  Tél.: (41-26) 460-80-60
  Télécopieur: (41-26) 460-80-68
  Internet: www.havas.ch
  Email: office@havas.ch
  DISTRIBUTION: OLF SA
  Z.I. 3, Corminbœuf
  Case postale 1061
  CH-1701 FRIBOURG
  Commandes: Tél.: (41-26) 467-53-33
                 Télécopieur: (41-26) 467-54-66

* Pour la Belgique et le Luxembourg:
  VIVENDI UNIVERSAL PUBLISHING SERVICES BENELUX
  Boulevard de l'Europe 117
  B-1301 Wavre
  Tél.: (010) 42-03-20
  Télécopieur: (010) 41-20-24
  http://www.vups.be
  Email: info@vups.be

Pour en savoir davantage sur nos publications,
visitez notre site: **www.edhomme.com**
Autres sites à visiter: www.edjour.com • www.edtypo.com
www.edvlb.com • www.edhexagone.com • www.edutilis.com

Dépôt légal: 4ᵉ trimestre 2001
Bibliothèque nationale du Québec

ISBN 2-7619-1667-0

L'Éditeur bénéficie du soutien de la Société de développement
des entreprises culturelles du Québec pour son programme
d'édition.

Nous reconnaissons l'aide financière du gouvernement du
Canada par l'entremise du Programme d'aide au développement de l'industrie de l'édition (PADIÉ) pour nos activités
d'édition.

Le Porc du Québec

Le porc
en toutes saisons

LES ÉDITIONS DE L'HOMME

préface

J'ai longtemps cru que la cuisine n'était qu'une question d'instinct, où seul le plaisir des sens prévalait. Puis, j'ai pris conscience qu'elle était un lien puissant avec mes racines, ma famille et mes amis. Ses parfums sont synonymes de souvenirs heureux, et le porc en fait partie. Les recettes de nos mères et de nos grands-mères ont commencé par être des façons de faire, puis elles sont devenues une tradition familiale, voire régionale. Avec le temps, je me suis rendu compte que le bon goût du rôti de porc et des «patates jaunes» de ma grand-mère n'était pas dû à une inspiration momentanée, mais bien à l'expérience qu'elle avait acquise depuis son enfance. C'est la même chose pour le jambon et les côtelettes aux champignons de ma mère. À moi désormais de perpétuer cet héritage gastronomique.

Comme dans bien d'autres familles québécoises, le porc est présent sur ma table tout au long de l'année. Il est sûrement l'un des animaux les plus généreux de la création. On peut le déguster des oreilles à la queue, de toutes les façons. L'été, je grille ses côtes au barbecue et je marine ses cubes pour les brochettes. L'automne, je le rôtis avec 40 gousses d'ail et je me régale de son filet arrosé de sauce aux pommes. L'hiver, je le braise et je le mijote. Au printemps, je parfume son carré d'herbes et je mitonne son jambon doucement, dans du sirop d'érable. Puis, en toutes saisons, ses escalopes me sauvent la vie lorsque je suis pressé. Je les sers alors poêlées à l'huile d'olive, en saltimbocca ou en sauté asiatique.

Déjà, en Nouvelle-France, le porc était le compagnon familier des maisons, en ville comme à la campagne. Chaque famille avait le sien. On le mangeait frais, puis salé. Le beau gros jambon du temps de Pâques a toujours été signe d'abondance. Si les recettes se sont transmises de génération en génération, elles ont, toutefois, grandement évolué ces dernières années. De nouvelles traditions culinaires venant des quatre coins du monde ont influencé nos façons de faire, car des coupes de viande beaucoup plus variées et de nouvelles cuissons ont été introduites chez nous. Cela nous pousse à réinventer et à moderniser nos recettes classiques sans toutefois renoncer aux saveurs d'autrefois.

Ricardo Larrivée
Chroniqueur gastronomique

introduction

Le porc a changé. Depuis plusieurs années, les producteurs de porcs du Québec ont adopté des méthodes d'élevage modernes pour offrir aux consommateurs une viande maigre, nutritive et bonne pour la santé. Finie la réputation de viande grasse, qu'il fallait cuire longtemps pour bien détruire tous les parasites!

Mais les nouvelles caractéristiques de la viande changent aussi fondamentalement la façon de la cuire. Le faible pourcentage de gras demande une cuisson à température plus douce, sous peine de voir la viande durcir et sécher. De même, nul besoin de la cuire à outrance, puisqu'une cuisson rosée est parfaitement sûre. Cette douce et courte cuisson fait de vos plats de porc de véritables délices, la viande fondant littéralement dans la bouche.

Le Porc du Québec est fier de vous présenter cet ouvrage, dans lequel vous trouverez les modes et les températures de cuisson idéals pour obtenir une viande toujours succulente. Même vos recettes traditionnelles préférées y ont été revues et corrigées! Véritable mine d'or d'informations sur les coupes, il contient également des trucs et des conseils, des menus de saison et même des renseignements concernant l'élevage des animaux et la santé.

Le porc se savoure tout au long de l'année, doucement mijoté pendant les grands froids d'hiver ou grillé sur le barbecue, en été. Viande aux multiples personnalités, elle se déguste simplement entre amis ou de façon gastronomique.

Nous espérons que le porc fera partie de vos recettes incontournables et que vous transmettrez vos découvertes gastronomiques à vos proches.

Bon appétit!

Louise Cantin
Directrice, service de publicité et promotion
Fédération des producteurs de porcs du Québec

la petite histoire du cochon

Le cochon entre officiellement dans l'histoire du Québec à l'été 1541. Jacques Cartier en est à son troisième voyage. Cette fois, il ne s'agit plus d'explorer le territoire, mais bien d'établir une colonie permanente. Comme il n'y a pas, dans la vallée du Saint-Laurent, d'autres animaux domestiques que le chien, très apprécié des autochtones autant comme animal de compagnie que comme nourriture, il faut donc amener ce qui est nécessaire. Dans les cales des cinq navires, il y a vingt vaches, quatre taureaux, cent moutons, cent chèvres, vingt chevaux ou juments et dix porcs.

Au siècle suivant, à la suite de la fondation d'un poste de traite à Québec et du développement de la colonie, le nombre de cochons augmente tranquillement. Dans la *Relation* de 1634, le jésuite Paul Lejeune souligne que, si on fait de plus en plus l'élevage du porc, «on manque encore de porcherie appropriée». Cela expliquerait en partie pourquoi les intendants adopteront une foule d'ordonnances concernant la garde des cochons, car on en élève non seulement à la campagne, mais aussi dans les villes de Québec et de Montréal.

Mais, pendant environ 150 jours par an, à cette époque, les catholiques ne peuvent manger de la viande sans commettre une faute grave. Le pouvoir civil vient en aide au pouvoir religieux pour faire respecter les devoirs d'abstinence. Ainsi, lors du carême de 1670, Louis Gaboury, un habitant de l'île d'Orléans, est dénoncé par son voisin pour avoir mangé du lard. Traîné devant les tribunaux, Gaboury est condamné « à être attaché au poteau public pendant trois heures, puis être conduit à la porte de la chapelle de l'île d'Orléans et là, à genoux, les mains jointes et tête nue, à demander pardon à Dieu, au Roi et à la justice ». À cela s'ajoutera une peine monétaire. Preuve que certains aimaient tellement la viande de porc qu'ils étaient prêts à risquer leur salut éternel !

Pendant longtemps, un cultivateur pouvait même utiliser le cochon comme monnaie. Ainsi, au début des années 1660, Marie de l'Incarnation accepte que la pension annuelle d'une élève soit payée en nature, soit un cochon gras, un baril d'anguilles salées, un baril de pois, douze livres de beurre et sept cordes et demie de bois.

C'est au cours des premières décennies du XIXe siècle que le lard salé fait son apparition dans les chantiers. Joseph Papineau, le père de Louis-Joseph, exploite les forêts de sa seigneurie de Petite Nation. Il se rend en Nouvelle-Angleterre visiter des chantiers et il en ramène la recette des *Boston Pork and Beans*. Assez rapidement, l'habitude

... on en élève non seulement à la campagne, mais aussi dans les villes de Québec et de Montréal.

d'ajouter du lard salé aux haricots secs se répandra dans le Bas-Canada. À cette époque, plusieurs Canadiens arrosent leur lard salé de sirop d'érable. Le voyageur anglais John Lambert note la chose dans son récit du voyage, en 1807. La coutume de servir une sauce aux pommes avec le rôti de lard se répand aussi à cette époque, surtout en milieu urbain.

À la fin des années 1810, la ville de Québec connaît ses premières foires agricoles, sur les plaines d'Abraham. Un journaliste de la *Gazette de Québec* note : « Il y avait peu de moutons et ce qu'il y en avait n'était pas de la meilleure race. Les cochons étaient meilleurs. Il est évident qu'il y a dans les environs de Québec une amélioration dans la race de ces animaux dont la chair est tant en usage dans ce pays. »

Les boucheries
Soudain le villageois frappe la bête impure ;
Le sang, à bouillons noirs, ruisselle de sa hure,
Découle dans le vase, et suivant les apprêts,
Sous des doigts ménagers forme d'excellents mets. [...]
Et bientôt sont formés la succulente andouille,
Le boudin lisse et gras, le saucisson friand,
Et plusieurs mets exquis, savourés du gourmand.
Ainsi le bon pourceau change pour notre usage
Et les pieds en gelée, et sa tête en fromage.
On taille, on coupe, on hache, et des hachis poivrés
Sortent des cervelats et les gâteaux marbrés.
L'un remplit les boyaux, l'autre enfle les vessies ;
On partage, on suspend les entrailles farcies ;
Le lard épais et blanc étale ses rayons ;
Ici brille la hure, et plus loin les jambons ;
Et là se met à part la côtelette plate
Qu'un sel conservateur rendra plus délicate...

Joseph Marmet, 1827

Graduellement, le cochon prend une place de plus en plus importante dans l'alimentation des Canadiens français, comme en fait foi le poème de Joseph Marmet. C'est habituellement aux premiers jours de décembre que l'on fait boucherie. Les meilleurs morceaux sont réservés aux grands repas du temps des Fêtes. Quant au lard salé, il sera utilisé tout au cours de l'année.

À partir de la seconde moitié du XIXe siècle, la viande de porc se retrouve de plus en plus sur les tables.

La publication au Québec de quelques livres de recettes va permettre une certaine diversification des mets utilisant le porc. En 1840, le libraire-éditeur et imprimeur Louis Perrault lance la première édition de son ouvrage *La Cuisinière canadienne*. On y trouve la recette du pâté de porc frais (en fait, la tourtière telle que nous la connaissons), des boulettes de porc et du ragoût de pattes de cochon à la farine grillée, etc. Plus important sera l'ouvrage de la supérieure générale des Sœurs de la Charité de la Providence, la mère Caron. *Directions diverses données en 1878* devait d'abord servir à aider les sœurs à former de bonnes cuisinières, mais le livre connaîtra rapidement un grand succès auprès de la population en général.

À partir de la seconde moitié du XIXe siècle, la viande de porc se retrouve de plus en plus sur les tables. Ainsi, on en consomme même au petit-déjeuner. En 1861-1862, le baron Charles-Henri-Philippe Gauldrée-Boileau, le consul général de France à Québec, effectue une enquête auprès des habitants du village de Saint-Irénée, dans la région de Charlevoix. «Les bases de l'abondante nourriture que prend l'agriculteur canadien, écrit-il, sont les viandes de porc et de bœuf. Nous connaissons à Saint-Irénée deux pères de famille, âgés de 38 ans, qui mangent sans effort une livre de lard au repas du milieu de la journée.»

En 1926, paraît la première édition d'un ouvrage qui deviendra un classique de la cuisine québécoise: *La Cuisine raisonnée,* des religieuses de la Congrégation de Notre-Dame de Montréal. Le chapitre seizième est consacré au porc. «La chair de cet animal, affirme-t-on, entre pour une large part dans l'alimentation. À la campagne, grâce aux résidus de la ferme, nombre de familles pratiquent l'élevage du porc. Engraissée, salée ou fumée, cette viande, l'été, constitue l'aliment par excellence de la famille. Il y a une notable économie à réaliser en consommant cette viande ainsi conservée; et une cuisinière habile sait l'apprêter de mille manières pour maintenir excellent l'appétit des siens.»

En 1926, paraît la première édition [... de] *La Cuisine raisonnée...*

Au cours des dernières décennies du xxe siècle, l'élevage du porc sera de plus en plus contrôlé. La viande produite est de moins en moins grasse. L'engouement pour les cuisines allégées, entre autres l'asiatique, invite à une plus grande consommation de la viande de porc. On découvre de nouveaux mariages, de nouvelles saveurs. Déjà, en 1977, on avait pu lire dans un livre publié par l'Institut de tourisme et d'hôtellerie du Québec, *Vers une nouvelle cuisine québécoise*: «Dans les établissements les plus huppés, c'est actuellement la fureur! Le rôti de porc... aux pêches, oui, madame! C'est adorablement excellent. Une loi naturelle veut que les contraires s'attirent, loi fréquemment appliquée en haute cuisine et sans préjudice pour les ingrédients en cause. La viande de porc et la pêche ont en commun un moelleux que la cuisson exalte.»

Ce n'était là que quelques exemples entre mille! Mais ils illustrent bien à quel point le porc a toujours fait partie de nos menus, depuis les origines de la colonie jusqu'à aujourd'hui.

Jacques Lacoursière
Historien

la qualité du porc du Québec : une affaire de cœur, une affaire d'équipe

La réputation de qualité du porc du Québec a fait le tour du monde, et ce n'est pas le fruit du hasard. Beaucoup de gens y travaillent fort et bien, que ce soit les producteurs ou tous les intervenants, en aval et en amont.

On dénombre un peu plus de 3000 fermes porcines dans la province de Québec. Ce sont, pour la plupart, des entreprises familiales où l'on se consacre à cette production depuis plus d'une génération. Dans plusieurs coins de la campagne québécoise, des producteurs et des productrices bichonnent leurs animaux pour livrer aux consommateurs d'ici et d'ailleurs une viande maigre, nutritive et saine.

Des méthodes modernes d'élevage

La production porcine relève à la fois de l'art et de la science. Toutes les étapes de la production sont en effet minutieusement étudiées, planifiées, réalisées et contrôlées pour produire une viande de porc de la plus grande qualité. Ainsi, au fil des ans, les producteurs ont sélectionné avec soin des races de porc reconnues pour leurs caractéristiques bien particulières. Cette sélection explique en partie comment les producteurs arrivent maintenant à produire des animaux dont la viande est plus maigre qu'auparavant.

L'alimentation des animaux contribue aussi à la qualité de leur viande. Les produits donnés aux porcs sont entièrement naturels, ce sont surtout des céréales, comme le maïs, l'orge et le soya, et des suppléments de vitamines et minéraux, pour un apport nutritionnel optimal.

Un excellent carnet de santé

Pour garder leurs animaux en santé, les producteurs ont mis en place, depuis plus de 25 ans, des techniques de production et des normes sanitaires très rigoureuses qu'ils s'appliquent sans cesse à optimiser, sous la supervision de vétérinaires.

Chaque jour, de nombreuses familles québécoises travaillent pour livrer aux consommateurs une viande de porc maigre, nutritive et bonne pour la santé. Sur les fermes, cet engagement de qualité se traduit par des méthodes d'élevage modernes, qui respectent à la fois les animaux, l'environnement et la tradition agricole québécoise.

automne

automne

Malgré le déclin des jours et la chute des feuilles, l'automne est une saison réconfortante : des couleurs extravagantes enflamment les bois et les forêts, les chauds rayons de soleil dorent la lumière du jour, d'abondantes averses abreuvent les sols. Les marchés regorgent de produits de la terre, c'est le moment de faire des provisions avant l'hiver et d'essayer de nouveaux plats : mijotés de porc savoureux et colorés, recettes toutes simples pour garnir à la fois la table du repas du soir et les boîtes à lunch. Succombez au plaisir automnal en mariant de toutes les façons les saveurs et les arômes de saison avec la meilleure viande qui soit : le porc.

PRÉPARATION : 10 min | CUISSON : 10 min | RENDEMENT : 4 portions

Soupe tonkinoise aux lanières de porc

1,5 litre (6 tasses)	Bouillon de légumes ou de volaille
2 à 3	Tiges de citronnelle coupées en deux dans le sens de la longueur (facultatif)
15 ml (1 c. à soupe)	Huile de canola
4 x 150 g (5 oz)	Côtelettes de porc du Québec désossées de 2 cm ($^3/_4$ po) d'épaisseur taillées en lanières
125 g (4 oz)	Nouilles de riz, ébouillantées pendant 60 sec et égouttées
500 ml (2 tasses)	Germes de haricot frais
60 ml (4 c. à soupe)	Noix d'acajou rôties à sec, sans sel et concassées
45 ml (3 c. à soupe)	Oignons hachés frits (du commerce)
45 ml (3 c. à soupe)	Coriandre fraîche (ou persil) hachée

■ **D**ans une casserole, porter le bouillon et la citronnelle à ébullition, couvrir et laisser mijoter à feu moyen pendant 5 min. ■ **E**ntre-temps, faire chauffer l'huile dans un grand wok ou une grande poêle à surface antiadhésive à feu moyen-élevé. Faire revenir le porc pendant 2 à 5 min. ■ **R**épartir les autres ingrédients dans quatre grands bols. Couvrir de bouillon et servir avec une sauce piquante au piment, que les convives doseront à leur goût !

■ **Variante :** Ajouter des champignons frais en lamelles, du cresson haché grossièrement ou de fines tranches de carotte, préalablement blanchies. Pour la boîte à lunch, placer le bouillon et les ingrédients solides dans des contenants séparés. Au moment du repas, réunir le tout et faire réchauffer au micro-ondes 2 min.

 Les experts recommandent de maintenir notre apport en acides gras saturés à un maximum de 10 % de nos calories quotidiennes. Choisir des viandes maigres comme le porc peut aider à atteindre cet objectif.

 Chaque portion fournit 463 calories, 46 g de protéines, 33 g de glucides et 15 g de matières grasses.

Mijoté de porc Marrakech

15 ml (1 c. à soupe)	Huile de canola
500 g (1 lb)	Cubes à ragoût (épaule) de porc du Québec
1	Petit oignon haché finement
1	Gousse d'ail hachée finement
500 ml (2 tasses)	Bouillon de légumes ou de volaille
1 boîte de 540 ml (19 oz)	Pois chiches égouttés
250 ml (1 tasse)	Dattes dénoyautées et coupées en deux
4	Tomates épépinées et coupées en dés
2 ml (½ c. à thé)	Cardamome moulue
1	Bâton de cannelle
50 ml (¼ tasse)	Jus de citron
Au goût	Sel et poivre frais moulu

■ **F**aire chauffer l'huile à feu moyen dans une casserole à fond épais. Faire dorer le porc, l'oignon et l'ail pendant 3 à 4 min. Ajouter le bouillon, les pois chiches, les dattes, les tomates, les épices et le jus de citron. Porter à ébullition, couvrir et laisser mijoter pendant 45 min à feu doux. Assaisonner au goût. ■ **S**ervir sur un lit de couscous.

 Pour un maximum de saveur, procurez-vous la cardamone en capsules. Vous n'aurez alors qu'à moudre quelques capsules dans un moulin à café (que vous réservez aux épices) et à ajouter la quantité voulue.

 Chaque assiette fournit 580 calories ; 39 g de protéines ; 78 g de glucides et 12 g de matières grasses.

Côtelettes papillons aux pleurotes safranés

50 ml (¼ tasse)	Farine
20 ml (4 c. à thé)	Ciboulette fraîche hachée
Au goût	Sel et poivre frais moulu
15 ml (1 c. à soupe)	Huile de canola
4 x 150 g (5 oz)	Côtelettes papillons de porc du Québec de 2 cm (¾ po) d'épaisseur
5 ml (1 c. à thé)	Échalotes hachées
250 ml (1 tasse)	Pleurotes tranchés (ou autres champignons)
75 ml (⅓ tasse)	Vin blanc
200 ml (¾ tasse)	Bouillon de légumes ou de volaille
2 ml (½ c. à thé)	Safran
15 ml (1 c. à soupe)	Fécule de maïs délayée dans un peu d'eau

■ **M**élanger la farine, la ciboulette, le sel et le poivre. Enfariner les côtelettes, puis les secouer pour enlever l'excédent de farine. ■ **F**aire chauffer l'huile à feu moyen dans une poêle à surface antiadhésive. Faire cuire les côtelettes pendant 6 à 12 min. Les retourner une fois à mi-cuisson. Saler après la cuisson. Retirer les côtelettes, les couvrir et réserver au chaud. ■ **D**ans la même poêle, faire sauter les échalotes et les pleurotes pendant 2 min. Déglacer au vin et au bouillon. Ajouter le safran et incorporer la fécule. Laisser épaissir à feu doux. Au moment de servir, verser la sauce sur les côtelettes. ■ **A**ccompagner de pommes de terre vapeur et de légumes du marché.

Pour obtenir une chair tendre, juteuse et savoureuse, choisissez des coupes d'une épaisseur adéquate. Une côtelette de 2 cm (¾ po) d'épaisseur est idéale pour éviter la surcuisson.

Chaque assiette fournit 280 calories, 36 g de protéines, 9 g de glucides et 9 g de matières grasses.

PRÉPARATION : 20 min | CUISSON : 20 à 30 min | RENDEMENT : 4 portions

Brochettes de porc haché aux fruits et aux amandes

30 ml (2 c. à soupe)	Huile végétale (et un peu plus pour badigeonner)
1	Oignon haché très fin
500 g (1 lb)	Porc du Québec haché maigre
4	Dattes hachées
30 ml (2 c. à soupe)	Coriandre fraîche hachée
1	Œuf légèrement battu
Au goût	Sel et poivre frais moulu
125 ml (½ tasse)	Amandes grillées et broyées grossièrement
8	Abricots séchés (ou plus, si désiré)

■ **D**ans une petite casserole à fond épais, faire chauffer l'huile et y faire colorer très doucement les morceaux d'oignon, jusqu'à caramélisation. Couvrir et laisser refroidir. ■ **P**endant ce temps, mélanger dans un bol le porc haché avec les dattes, la coriandre, l'œuf, le sel et le poivre. Incorporer les oignons caramélisés et façonner 16 boulettes. Les rouler dans les amandes broyées, puis les enfiler sur quatre petites brochettes en bois imbibées d'eau. ■ **E**nfiler en alternance les boulettes et les abricots séchés ou placer simplement aux deux extrémités des brochettes un abricot séché. ■ **F**aire griller sous le gril du four ou dans une poêle-gril pendant 6 à 12 min. Retourner les brochettes une ou deux fois en cours de cuisson, à l'aide de pinces. ■ **A**ccompagner de couscous décoré de feuilles de menthe fraîche et de demi-poivrons rouges et jaunes, badigeonnés d'huile d'olive et grillés au four.

 Lorsque vous utilisez des brochettes en bois, faites-les tremper dans l'eau pendant au moins 30 min pour éviter qu'elles ne s'enflamment durant la cuisson.

 Chaque portion fournit 565 calories, 33 g de protéines, 18 g de glucides et 42 g de matières grasses.

PRÉPARATION : 10 min | CUISSON : 13 à 15 min | RENDEMENT : 4 portions

Chili de porc picante

15 ml (1 c. à soupe)	Huile de canola ou de maïs
1	Gros poivron vert ou jaune haché
1	Oignon taillé en rondelles
375 g ($^3/_4$ lb)	Porc du Québec haché maigre
500 ml (2 tasses)	Sauce tomate arrabiata (du commerce)
1 boîte de 540 ml (19 oz)	Haricots rouges en conserve, égouttés
Au goût	Sel
Pour garnir	Oignons verts hachés et croustilles de maïs

■ **F**aire chauffer l'huile à feu moyen dans une grande poêle à surface anti-adhésive. Faire sauter le poivron et l'oignon 2 à 3 min. Ajouter le porc et faire revenir pendant 6 à 7 min. ■ **I**ncorporer la sauce *arrabiata* et les haricots rouges. Porter à ébullition et laisser mijoter pendant 5 min. Saler au goût. Servir dans des bols et garnir d'oignons verts hachés et de croustilles de maïs, si désiré.

■ **Variante :** Servir dans des tacos avec chiffonnade de laitue, oignons verts hachés et fromage cheddar râpé en garniture.

Les recettes en sauce font de succulents restes à déguster à l'école ou au travail. Réchauffez le tout au micro-ondes pendant 1 $^1/_2$ à 2 min à température maximale et savourez !

Chaque portion fournit 473 calories, 29 g de protéines, 45 g de glucides et 20 g de matières grasses.

Rouleaux de porc piquant à la framboise

5 ml (1 c. à thé)	Moutarde sèche
2 ml (½ c. à thé)	Baies de genièvre moulues
2 ml (½ c. à thé)	Piments broyés
2 ml (½ c. à thé)	Cannelle
50 ml (¼ tasse)	Vinaigre de vin
750 g (1 ½ lb)	Porc du Québec haché maigre
8	Biscuits de blé entier secs, émiettés
5 ml (1 c. à thé)	Paprika
1	Œuf battu
50 ml (¼ tasse)	Lait
Au goût	Sel et poivre frais moulu
125 ml (½ tasse)	Farine
30 ml (2 c. à soupe)	Huile de canola
4	Oignons moyens coupés en tranches de 1 cm (½ po)
250 ml (1 tasse)	Eau
75 ml (⅓ tasse)	Confiture de framboises
5 ml (1 c. à thé)	Fécule de maïs délayée dans 15 ml (1 c. à soupe) d'eau
1	Botte de cresson frais, lavé et coupé

■ **P**réchauffer le four à 170 ºC (350 ºF). ■ **D**ans un bol, mélanger la moutarde, les baies de genièvre, les piments, la cannelle et le vinaigre de vin. Réserver. ■ **D**ans un autre bol, mélanger le porc haché avec les biscuits, le paprika,

l'œuf et le lait. ▪ **F**açonner le mélange en 12 rouleaux, enfariner, puis secouer pour enlever l'excédent de farine. Poivrer au goût. ▪ **F**aire chauffer l'huile à feu moyen dans une poêle à surface antiadhésive et saisir les rouleaux de tous les côtés. ▪ **P**lacer les tranches d'oignon dans un plat allant au four et y disposer les rouleaux. Verser le mélange réservé (moutarde, baies, etc.) sur les rouleaux. Faire cuire au four pendant environ 45 min en couvrant à mi-cuisson. Assaisonner au goût. ▪ **D**ans la même poêle, réchauffer à feu doux le jus de cuisson préalablement passé au tamis. Ajouter l'eau et la confiture de framboises. Incorporer la fécule délayée, puis laisser épaissir à feu doux. ▪ **N**apper les rouleaux de sauce et décorer de bouquets de cresson.

 La durée de conservation des viandes hachées est plus courte que celle des plus grosses pièces. Pour être certain de la fraîcheur des viandes hachées, prenez soin de choisir un paquet emballé le jour même et utilisez-le rapidement.

 Chaque assiette fournit 643 calories, 34 g de protéines, 46 g de glucides et 36 g de matières grasses.

PRÉPARATION : 5 min | CUISSON : 6 à 8 min | RENDEMENT : 4 portions

Porc-burgers picadillo

500 g (1 lb)	Porc du Québec haché maigre
1 à 2	Piments Jalapeños, épépinés et hachés finement
50 ml (¹/₄ tasse)	Graines de tournesol rôties à sec, non salées
50 ml (¹/₄ tasse)	Raisins secs dorés
1 à 2	Gousses d'ail hachées finement
30 ml (2 c. à soupe)	Sauce Chili (ou ketchup)
Au goût	Sel et poivre frais moulu
4	Muffins anglais, fendus en deux et grillés
4	Grandes tranches de tomate
4	Feuilles de laitue frisée

■ **M**élanger le porc avec le piment, les graines de tournesol, les raisins, l'ail et la sauce Chili (ou le ketchup). Faire quatre galettes de 1 cm (¹/₂ po) d'épaisseur et poivrer au goût. ■ **G**riller sous le gril du four préchauffé au maximum, dans une poêle-gril à feu moyen-élevé ou à chaleur moyenne sur le barbecue pendant 6 à 8 min. À mi-cuisson, retourner les galettes à l'aide d'une spatule. Saler après la cuisson. ■ **P**lacer les galettes de porc dans les muffins anglais garnis de tomate et de laitue (et autres condiments au choix), puis savourer. ■ **S**ervir accompagné d'une salade de maïs et de poivrons rouges.

Quand on grille un aliment dans un four, il est important de laisser la porte entrouverte pour que la vapeur puisse s'échapper. Vous pourrez ainsi réussir une belle grillade à chaleur vive et sèche.

Chaque portion fournit 489 calories, 28 g de protéines, 38 g de glucides et 26 g de matières grasses.

PRÉPARATION : 20 min | CUISSON : 10 à 12 min | RENDEMENT : 4 portions

Sauté de porc paprikash

60 ml (4 c. à soupe)	*Farine*
4 x 150 g (5 oz)	*Côtelettes de porc du Québec désossées de 2 cm (³/₄ po) d'épaisseur, taillées en bâtonnets de 1 cm (¹/₂ po) de largeur*
15 ml (1 c. à soupe)	*Huile de canola ou de tournesol*
2	*Poivrons rouges taillés en fines lanières*
125 ml (¹/₂ tasse)	*Vin blanc sec ou bouillon de poulet*
30 ml (2 c. à soupe)	*Paprika (au goût)*
1 boîte de 398 ml (14 oz)	*Tomates en dés, bien égouttées*
Au goût	*Sel et poivre noir frais moulu*

Garniture

125 ml (¹/₂ tasse)	*Crème sure légère*
30 ml (2 c. à soupe)	*Persil frais haché fin*

■ **E**nfariner les côtelettes et les secouer pour enlever l'excédent de farine. Faire chauffer l'huile à feu moyen dans une grande poêle à surface anti-adhésive et faire revenir le porc pendant 3 à 4 min. Retirer la viande, la couvrir et réserver au chaud. ■ **D**ans la même poêle, faire sauter les poivrons

▶

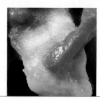

pendant 1 min. Ajouter le vin, le paprika, les tomates et le porc. Porter à ébullition et laisser réduire en remuant pendant 5 à 6 min. Assaisonner au goût. Garnir de crème sure et de persil. ■ **S**ervir le sauté de porc sur des nouilles aux œufs, accompagné de haricots verts et jaunes frais.

■ **Variante:** Ajouter à la recette 6 pommes de terre grelots tranchées, 1 carotte coupée en dés, 250 ml (1 tasse) de haricots verts frais fendus dans le sens de la longueur et 375 ml (1 $^1/_2$ tasse) de bouillon de volaille, avant de porter le tout à ébullition. Laisser mijoter à couvert à feu moyen-doux pendant 10 à 15 min, en remuant de temps en temps. Servir avec crème sure légère et persil.

 Le porc d'aujourd'hui est une excellente source de vitamine B12. Cette vitamine, que l'on retrouve seulement dans les aliments d'origine animale, est nécessaire à la formation des globules rouges.

 Chaque portion fournit 356 calories, 39 g de protéines, 16 g de glucides et 12 g de matières grasses.

PRÉPARATION : 20 min | CUISSON : 30 min | RENDEMENT : 4 portions

Pommes farcies au porc rôti

500 g (1 lb)	*Porc du Québec haché maigre*
6	*Tomates séchées hachées*
2	*Abricots séchés hachés*
5 ml (1 c. à thé)	*Ail haché*
15 ml (1 c. à soupe)	*Persil frais haché*
1	*Œuf*
2	*Échalotes sèches hachées*
Au goût	*Sel et poivre frais moulu*
8	*Pommes Cortland (ou McIntosh), évidées à 2 cm (³/₄ po) du fond*
500 ml (2 tasses)	*Jus de pomme*
500 ml (2 tasses)	*Purée de citrouille (fraîche ou en conserve)*
10 ml (2 c. à thé)	*Cannelle*

■ **P**réchauffer le four à 160 °C (325 °F). ■ **D**ans un bol, mélanger le porc haché, les tomates, les abricots, l'ail, le persil, l'œuf et les échalotes. Assaisonner au goût. ■ **F**arcir chaque pomme avec le mélange. Disposer les fruits dans un plat allant au four, puis verser le jus de pomme et la purée de citrouille. Saupoudrer les pommes de cannelle. ■ **F**aire cuire au four pendant 30 min. Déposer les pommes cuites dans des assiettes. Fouetter le jus de cuisson et le verser autour des pommes.

Le *Guide alimentaire canadien pour manger sainement* recommande de consommer un minimum de cinq portions de Fruits et légumes par jour. Ce plat aux saveurs d'automne est un bon moyen de suivre ces conseils !

Chaque portion fournit 532 calories, 23 g de protéines, 72 g de glucides et 20 g de matières grasses.

PRÉPARATION : 15 min | CUISSON : 1 h | RENDEMENT : 6 portions

Longe de porc glacée au gingembre et aux prunes

1 kg (2 lb)	Rôti de longe de porc du Québec désossé
250 ml (1 tasse)	Marmelade de gingembre
Au goût	Sel et poivre frais moulu
10	Prunes rouges fraîches (ou abricots), coupées en deux et dénoyautées
4	Oignons coupés en quartiers
375 ml (1 ½ tasse)	Xérès ou bouillon

■ **P**réchauffer le four à 160 °C (325 °F). ■ **E**nduire le rôti de 75 ml (⅓ tasse) de marmelade et poivrer au goût. Insérer un thermomètre à viande au centre de la chair et déposer le rôti dans une rôtissoire. Disposer les prunes et les oignons tout autour, puis verser le xérès mélangé au reste de la marmelade. ■ **F**aire cuire au four pendant 40 à 60 min ou jusqu'à ce que le thermomètre à viande indique 70 °C (160 °F). À la sortie du four, laisser reposer pendant 10 à 15 min après avoir recouvert le tout lâchement de papier d'aluminium. Assaisonner au goût et découper en fines tranches. Servir avec la compote de prunes et d'oignons dans des assiettes préchauffées. ■ **A**ccompagner de riz sauvage aux pleurotes et de pois mange-tout cuits à la vapeur.

Vous avez des restes de rôti ? Préparez de minces crêpes (ajoutez des oignons verts hachés à la pâte) et servez-les farcies avec la viande taillée en lanières mélangée à la compote de prunes et d'oignons.

Chaque portion fournit 409 calories, 39 g de protéines, 45 g de glucides et 6 g de matières grasses.

PRÉPARATION : 15 min | CUISSON : 12 à 15 min | RENDEMENT : 4 portions

Tournedos de porc à l'ananas confit

15 ml (1 c. à soupe)	Huile végétale
4 x 150 g (5 oz)	Tournedos de porc du Québec de 2,5 cm (1 po) d'épaisseur
2	Tranches de bacon hachées finement
2	Échalotes tranchées finement
1	Poivron rouge taillé en dés
125 ml (½ tasse)	Ananas confit haché grossièrement
5 ml (1 c. à thé)	Farine
45 ml (3 c. à soupe)	Cointreau ou autre liqueur d'orange
250 ml (1 tasse)	Sauce demi-glace du commerce
Au goût	Sel et poivre frais moulu

■ **F**aire chauffer l'huile à feu moyen-élevé dans une poêle à surface anti-adhésive. Faire revenir les tournedos 4 à 6 min. Les retirer de la poêle, les couvrir et réserver au chaud. ■ **D**ans la même poêle, faire revenir le bacon pendant 1 min. Ajouter les échalotes, le poivron, l'ananas et poursuivre la cuisson pendant 3 à 4 min. ■ **T**out en remuant, saupoudrer de farine, puis incorporer le Cointreau et la demi-glace. Faire mijoter pendant 3 à 4 min en brassant le mélange de temps en temps. ■ **A**jouter le porc réservé et réchauffer pendant 1 min. ■ **A**ssaisonner au goût. ■ **S**ervir avec du riz basmati parfumé à l'estragon et des pois mange-tout.

Pour éviter que votre porc ne soit trop cuit, retirez-le du feu dès que la cuisson recommandée est terminée. Faites ensuite cuire les autres ingrédients. La viande sera alors d'une tendreté incomparable.

Chaque portion fournit 163 calories, 13 g de protéines, 14 g de glucides et 5 g de matières grasses.

41

Filets de porc farcis aux pruneaux

175 ml (²/₃ tasse)	Pruneaux secs dénoyautés
75 ml (¹/₃ tasse)	Vin rouge
75 ml (¹/₃ tasse)	Noix de pin
15 ml (1 c. à soupe)	Beurre
2	Oignons verts finement hachés
5 ml (1 c. à thé)	Thym frais haché
200 ml (³/₄ tasse)	Chapelure
Au goût	Sel et poivre frais moulu
1	Œuf battu
2 x 225 g (7 ¹/₂ oz)	Filets de porc du Québec
75 ml (¹/₃ tasse)	Farine
15 ml (1 c. à soupe)	Huile d'olive
125 ml (¹/₂ tasse)	Bouillon de légumes ou de volaille
15 ml (1 c. à soupe)	Gelée de pommes
125 ml (¹/₂ tasse)	Crème à 35 %

■ **F**aire macérer les pruneaux dans le vin 12 h à l'avance. ■ **P**réchauffer le four à 190 °C (375 °F). ■ **R**éserver 75 ml (¹/₃ tasse) des pruneaux dans leur jus et égoutter délicatement le reste. Hacher grossièrement les pruneaux égouttés et les noix de pin. Réserver. ■ **F**aire chauffer le beurre à feu moyen dans une poêle à surface antiadhésive. Faire revenir les oignons verts, la

moitié du thym et le mélange de pruneaux et de noix pendant 2 à 3 min. Retirer la poêle du feu. Ajouter la chapelure, le sel et le poivre et mélanger en incorporant l'œuf battu. Laisser refroidir. ▪ **C**ouper les filets dans le sens de la longueur pour former des pochettes. Les farcir avec la préparation refroidie et ficeler. ▪ **E**nfariner les filets, puis les secouer pour enlever l'excédent de farine. Dans une grande casserole allant au four, faire chauffer l'huile à feu moyen et saisir les filets farcis de tous les côtés. Couvrir et faire cuire au four pendant 25 à 30 min ou jusqu'à ce que le thermomètre indique 70 °C (160 °F). Assaisonner au goût. Retirer les filets de la casserole, couvrir et réserver au chaud. ▪ **D**ans la même casserole, réchauffer le jus de cuisson à feu doux. Ajouter les pruneaux réservés, le bouillon, la gelée, la crème et le reste du thym. Porter à ébullition et faire réduire jusqu'à l'obtention d'une sauce onctueuse. ▪ **N**apper de sauce le fond de chaque assiette, puis y déposer trois tranches de filet. ▪ **S**ervir accompagné de riz sauvage et de légumes du marché.

 Le filet de porc vous semble cher? Comme il n'y a aucune perte lors de la préparation, le coût par portion reste tout à fait raisonnable.

 Chaque portion fournit 605 calories, 40 g de protéines, 45 g de glucides et 29 g de matières grasses.

PRÉPARATION : 15 min | CUISSON : 55 min à 1 h 15 | RENDEMENT : 6 portions

Rôti de porc et patates jaunes

1 kg (2 lb)	Rôti de longe de porc du Québec désossé
2	Gousses d'ail taillées en allumettes
30 ml (2 c. à soupe)	Beurre ramolli
30 ml (2 c. soupe)	Moutarde sèche
5 ml (1 c. à thé)	Romarin séché
Au goût	Sel et poivre frais moulu
6	Pommes de terre pelées et coupées en quartiers
1	Oignon émincé
¹/₂ boîte de 284 ml (10 oz)	Consommé de bœuf (plus, si nécessaire)

■ **P**réchauffer le four à 160 °C (325 °F). ■ **F**aire de petites incisions dans la chair du rôti et y insérer l'ail. Mélanger le beurre, la moutarde sèche, le romarin et poivrer au goût. Enduire le rôti du mélange. Insérer un thermomètre à viande au centre de la chair. Déposer le rôti dans une rôtissoire et disposer les pommes de terre et l'oignon autour. Ajouter le consommé. ■ **F**aire cuire au four pendant 40 à 60 min ou jusqu'à ce que le thermomètre indique 70 °C (160 °F). À la sortie du four, laisser reposer le rôti pendant 10 à 15 min après l'avoir recouvert lâchement de papier d'aluminium. Assaisonner au goût et découper en fines tranches. Servir avec les pommes de terre.

Pour apprêter les restes d'un rôti de porc et obtenir une chair tendre et juteuse, réchauffez brièvement le rôti, tranché ou non, dans une petite quantité de liquide : sauce, bouillon, jus de fruits, bière ou vin.

Chaque portion fournit 374 calories, 42 g de protéines, 25 g de glucides et 11 g de matières grasses.

PRÉPARATION : 20 min | CUISSON : 30 min | RENDEMENT : 4 portions

Longe de porc farcie aux tomates séchées

50 ml ($^1/_4$ tasse)	Tomates séchées marinées dans l'huile
50 ml ($^1/_4$ tasse)	Basilic frais
50 ml ($^1/_4$ tasse)	Noix de Grenoble
3	Échalotes sèches
1	Gousse d'ail écrasée
15 ml (1 c. à soupe)	Vodka
125 ml ($^1/_2$ tasse)	Huile d'olive
Au goût	Sel et poivre frais moulu
750 g (1 $^1/_2$ lb)	Rôti de longe de porc du Québec désossé et paré
Quantité suffisante	Sauce poivrade

■ **D**époser les tomates séchées, le basilic, les noix, les échalotes, l'ail et la vodka dans le récipient d'un mélangeur. Réduire les ingrédients en purée en versant l'huile d'olive en filet et en mélangeant par intermittence. Assaisonner au goût et réserver. ■ **T**ailler la longe dans le sens de l'épaisseur en la

▶

«déroulant» afin d'obtenir un rectangle plat. Déposer la longe sur une pellicule plastique et garnir toute la surface intérieure de la viande avec le mélange de tomates séchées. Rouler très serré, emballer dans la pellicule en refermant bien les bouts et recouvrir de papier d'aluminium. Faire pocher dans de l'eau bouillante pendant 10 min. ■ **D**époser la longe encore emballée dans un bain d'eau froide pour la refroidir rapidement. Puis la déballer et la déposer dans un grand bol. L'enrober généreusement de sauce poivrade et laisser mariner pendant 30 min au réfrigérateur. ■ **M**ettre ensuite la longe dans une rôtissoire et faire cuire au four préchauffé à 160 ºC (325 ºF) pendant 15 à 20 min ou jusqu'à ce que le thermomètre indique 70 ºC (160 ºF). Laisser reposer pendant 10 min. ■ **S**ervir avec une sauce demi-glace au poivre rose et des tagliatelles au beurre et à l'ail.

■ **Note:** La sauce poivrade est une mirepoix mouillée de vinaigre et de vin blanc, puis réduite. On lie avec un roux additionné de vin blanc et on relève le tout avec des grains de poivre écrasés.

 Le *Guide alimentaire canadien pour manger sainement* recommande de consommer chaque jour deux portions de Viandes ou substituts. Une portion moyenne de viande a environ la taille d'un jeu de cartes.

 Chaque portion fournit 393 Calories, 43 g de protéines, 3 g de glucides et 21 g de matières grasses.

PRÉPARATION : 10 min | CUISSON : 6 à 12 min | RENDEMENT : 4 portions

Tournedos de porc, sauce moutarde et champignons

4 x 150 g (5 oz)	Tournedos de porc du Québec de 2,5 cm (1 po) d'épaisseur
30 ml (2 c. à soupe)	Huile d'olive
Au goût	Sel et poivre frais moulu
45 ml (3 c. à soupe)	Beurre
2	Échalotes sèches hachées
125 ml (½ tasse)	Champignons émincés
75 ml (⅓ tasse)	Pesto (frais ou du commerce)
125 ml (½ tasse)	Crème à 35 %
½	Gousse d'ail hachée finement
½	Tomate coupée en petits dés
45 ml (3 c. à soupe)	Moutarde de Dijon
15 ml (1 c. à soupe)	Estragon frais haché

■ **B**adigeonner les tournedos d'huile d'olive. Poivrer au goût. Griller à feu moyen dans un four, dans une poêle-gril ou sur le barbecue, pendant 6 à 12 min. À mi-cuisson, retourner les tournedos à l'aide de pinces. Saler à la fin de la cuisson. Laisser reposer pendant 1 à 2 min. ■ **P**endant ce temps, faire chauffer le beurre à feu moyen, dans une poêle à surface antiadhésive. Faire sauter les échalotes et les champignons 2 à 3 min. Ajouter le pesto, la crème, l'ail et les dés de tomate. Incorporer la moutarde de Dijon et l'estragon. Réchauffer à feu moyen. Assaisonner au goût. ■ **D**époser les tournedos dans un plat de service et napper de sauce.

En manipulant la viande pendant la cuisson, utilisez toujours des pinces pour ne pas piquer la chair et perdre les précieux sucs. Ainsi, la viande restera tendre et juteuse.

Chaque portion fournit 559 calories, 39 g de protéines, 5 g de glucides et 43 g de matières grasses.

PRÉPARATION : 15 min | RENDEMENT : 4 portions

Sandwiches gourmet de porc au beurre de pomme et au cresson

75 ml (¹/₃ tasse)	Beurre de pomme du commerce
75 ml (¹/₃ tasse)	Fromage à la crème, légèrement ramolli
15 à 30 ml (1 à 2 c. à soupe)	Moutarde de Dijon
15 ml (1 c. à soupe)	Vinaigre de framboise (ou de vin rouge)
1	Gousse d'ail hachée très finement (retirer le germe)
45 ml (3 c. à soupe)	Noix de Grenoble hachées grossièrement
Au goût	Sel et poivre frais moulu
8	Tranches de pain (pain de seigle ou autre)
8	Tranches de rôti de porc du Québec cuit et refroidi
1	Botte de cresson nettoyée

■ **B**attre le beurre de pomme avec le fromage à la crème, la moutarde, le vinaigre et l'ail. Incorporer les noix et assaisonner au goût. ■ **T**artiner quatre tranches de pain de ce mélange. Déposer sur chacune d'elles deux tranches de rôti de porc et une généreuse poignée de cresson. Refermer avec les tranches de pain qui restent. ■ **T**rancher le sandwich en diagonale et servir avec une salade de carottes et de choux vert et rouge, assaisonnée de vinaigrette crémeuse.

Ce sandwich sera tout aussi délicieux préparé avec des restes de côtelettes ou de filet de porc cuits et découpés en lanières. La préparation de beurre de pomme et de moutarde peut se conserver quelques jours au réfrigérateur.

Chaque portion fournit 415 calories, 23 g de protéines, 44 g de glucides et 16 g de matières grasses.

PRÉPARATION : 20 min | CUISSON : 10 à 12 min | RENDEMENT : 4 portions

Tournedos de porc, sauce à l'aneth et à la crème de moutarde

60 ml (4 c. à soupe)	Aneth frais haché
60 ml (4 c. à soupe)	Raisins de Corinthe
125 ml (½ tasse)	Xérès ou vin de Madère, porté à ébullition avec 60 ml (4 c. à soupe) d'eau
30 ml (2 c. à soupe)	Huile végétale
4	Tournedos de porc du Québec de 2,5 cm (1 po) d'épaisseur
Au goût	Sel et poivre frais moulu
3	Échalotes hachées
30 ml (2 c. à soupe)	Moutarde à l'ancienne
60 ml (4 c. à soupe)	Crème champêtre à 35 %

■ **M**ettre l'aneth à infuser et les raisins à macérer dans le xérès très chaud pendant 20 min, jusqu'à ce que les raisins soient attendris. ■ **F**aire chauffer l'huile à feu moyen-vif dans une poêle et y faire dorer légèrement les tournedos des deux côtés. Réduire à feu moyen-doux, couvrir la poêle et poursuivre la cuisson pendant 6 à 7 min. Retirer les tournedos, assaisonner au goût

▶

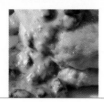

et laisser reposer la viande au four à 100 °C (200 °F), dans une assiette couverte. ▪ **E**ntre-temps, faire revenir les échalotes dans la même poêle, à feu moyen. Ajouter la préparation au xérès et la moutarde. Porter à ébullition à feu vif en déglaçant le fond de la poêle, puis laisser réduire de moitié. Ajouter la crème et bien réchauffer. Rectifier l'assaisonnement au besoin. Napper les tournedos de sauce. ▪ **S**ervir avec des pommes de terre grelots et des haricots verts cuits *al dente*.

▪ **Note :** Cette sauce peut également accompagner des médaillons de filet de porc revenus à la poêle.

La tradition culinaire voulait que la viande de porc ne soit consommée que très cuite. Mais aujourd'hui, grâce à des normes rigoureuses de production, la surcuisson n'est absolument pas nécessaire.

Chaque portion fournit 334 calories, 29 g de protéines, 10 g de glucides et 17 g de matières grasses.

PRÉPARATION : 15 min | CUISSON : 45 min | RENDEMENT : 4 portions

Blanquette de porc à la McIntosh

15 ml (1 c. à soupe)	Huile de canola
500 g (1 lb)	Cubes à ragoût (épaule) de porc du Québec
1	Oignon en cubes
1	Bouquet garni (persil, thym et feuilles de laurier)
250 ml (1 tasse)	Jus de pomme
Pour couvrir	Eau
10 ml (2 c. à thé)	Beurre
16	Champignons frais
3	Pommes McIntosh pelées, épépinées et en quartiers
75 ml (⅓ tasse)	Crème à 35 %
3	Jaunes d'œufs
Au goût	Sel et poivre frais moulu

■ **F**aire chauffer l'huile à feu moyen-élevé dans une casserole à fond épais. Faire dorer le porc et les oignons pendant 3 à 4 min. Ajouter le bouquet garni et le jus de pomme. Couvrir d'eau. Cuire à couvert pendant 17 à 20 min, puis ôter le couvercle et faire réduire de 15 à 20 min. Retirer les cubes de porc de la casserole, les couvrir et réserver au chaud. Mettre le jus de côté. ■ **F**aire chauffer le beurre à feu moyen dans une poêle à surface antiadhésive. Faire sauter les champignons et les pommes pendant 3 à 4 min. ■ **I**ncorporer la crème et les jaunes d'œufs au jus de cuisson du porc et laisser épaissir à feu doux. ■ **A**jouter les pommes, les champignons et les cubes de porc. Réchauffer pendant 2 à 3 min et assaisonner au goût. ■ **S**ervir avec des croûtons de pain assaisonnés de persil haché (facultatif).

Les cubes de porc provenant de l'épaule donneront une blanquette très tendre et un plat très économique.

Chaque portion fournit 422 calories, 29 g de protéines, 30 g de glucides et 22 g de matières grasses.

PRÉPARATION : 15 min | CUISSON : 6 à 12 min | RENDEMENT : 4 portions

Brochettes de porc à la provençale

500 g (1 lb)	*Cubes de porc du Québec de 3 cm (1 ¼ po)*
250 ml (1 tasse)	*Vinaigrette aux fines herbes ou provençale (du commerce)*
375 ml (1 ½ tasse)	*Cubes d'aubergine de 3 cm (1 ¼ po)*
1	*Gros oignon coupé en morceaux de 5 cm (2 po)*
12	*Grosses olives noires dénoyautées*
Au goût	*Sel et poivre frais moulu*

■ **M**élanger les cubes de porc avec la vinaigrette, couvrir et laisser mariner au réfrigérateur pendant au moins 2 h (maximum 12 h). ■ **E**nfiler les ingrédients en alternance sur des brochettes et poivrer au goût. Griller sous le gril du four préchauffé au maximum, dans une poêle-gril à feu moyen-élevé ou à chaleur moyenne sur le barbecue pendant 6 à 12 min. ■ **À** mi-cuisson, retourner les brochettes à l'aide de pinces et les badigeonner de marinade. Saler après la cuisson. ■ **S**ervir sur un nid de riz aux tomates séchées et aux herbes.

Pour des brochettes plus parfumées, enfilez les ingrédients sur des tiges solides de romarin effeuillées. Remplacez les cubes d'aubergine et les olives par des cœurs d'artichaut marinés et des tomates cerises.

Chaque portion fournit 267 calories, 28 g de protéines, 9 g de glucides et 13 g de matières grasses.

Mijoté de porc à la toscane

15 ml (1 c. à soupe)	*Huile d'olive*
500 g (1 lb)	*Cubes à ragoût (épaule) de porc du Québec, légèrement enfarinés*
1 ou 2	*Gousses d'ail hachées*
3	*Tranches de pancetta (ou bacon de dos), taillées en fines lanières*
1 boîte de 796 ml (28 oz)	*Tomates étuvées à l'italienne*
200 ml (¾ tasse)	*Vin rouge sec*
1	*Oignon taillé en morceaux*
1	*Courgette taillée en morceaux*
Au goût	*Origan frais haché, sel et poivre frais moulu*
300 g (10 oz)	*Pâtes fraîches cuites*

■ **F**aire chauffer l'huile à feu moyen-élevé dans une casserole à fond épais. Faire dorer les cubes de porc, l'ail et la pancetta pendant 3 à 4 min. Ajouter les tomates et le vin, couvrir et laisser mijoter à feu doux pendant 30 min.
■ **I**ncorporer l'oignon et la courgette et laisser mijoter encore 30 min à découvert. Ajouter l'origan, saler et poivrer au goût. ■ **S**ervir sur les pâtes.

Utilisez des cubes d'épaule pour obtenir un ragoût très tendre. Les cubes de fesse gagnent à être marinés au préalable dans le vin pendant au moins 2 h (maximum 12 h) avant que vous les fassiez mijoter.

Chaque portion fournit 589 calories, 42 g de protéines, 60 g de glucides et 15 g de matières grasses.

Carré de porc forestier en croûte

1 kg (2 lb)	*Carré de porc du Québec paré*
2 à 3	*Gousses d'ail taillées en allumettes*
15 ml (1 c. à soupe)	*Huile végétale*
30 ml (2 c. à soupe)	*Moutarde de Dijon*
4	*Tranches de bacon coupées en lardons*
125 ml (¹/₂ tasse)	*Blancs de poireau tranchés mince*
15 ml (1 c. à soupe)	*Romarin frais*
15 ml (1 c. à soupe)	*Origan frais*
30 ml (2 c. à soupe)	*Cerfeuil frais*
Au goût	*Sel et poivre frais moulu*
375 g (³/₄ lb)	*Pâte feuilletée du commerce*
3	*Feuilles de laitue romaine*
1	*Jaune d'œuf battu avec 30 ml (2 c. à soupe) d'eau*

■ **P**réchauffer le four à 160 °C (325 °F). ■ **À** l'aide d'un couteau, pratiquer de petites entailles dans le carré et y insérer l'ail. Dans une grande poêle à surface antiadhésive, faire chauffer l'huile à feu moyen et saisir le carré de porc sur toutes ses faces. Retirer le carré, le laisser refroidir, puis, à l'aide d'un pinceau, le badigeonner de moutarde. ■ **D**ans la même poêle, faire fondre le bacon, ajouter ensuite les blancs de poireau, les herbes, le sel et le poivre. Cuire

pendant 3 min, retirer du feu et laisser refroidir. ■ **S**ur une surface enfarinée, abaisser la pâte feuilletée jusqu'à l'obtention d'un morceau de dimension suffisante pour envelopper le carré. Laisser reposer. ■ **B**lanchir la laitue 30 sec, puis la plonger dans l'eau très froide. Bien assécher les feuilles de laitue et les disposer sur la pâte feuilletée. Étaler uniformément le mélange d'herbes, de poireau et de bacon sur la laitue. ■ **D**époser le carré au centre de la pâte. Humecter les extrémités de la pâte afin qu'elle colle. ■ **E**nvelopper le carré de porc dans la pâte et pincer solidement les extrémités. Dégager soigneusement les os. Badigeonner la pâte d'œuf battu et faire quelques incisions pour permettre à la vapeur de s'échapper. Insérer un thermomètre à viande en évitant les os. ■ **D**époser le carré ainsi enveloppé sur une plaque et cuire au four pendant 40 à 60 min ou jusqu'à ce que le thermomètre indique 70 ºC (160 ºF). Retirer du four et laisser reposer, couvert, 10 à 15 min. Trancher le carré en quatre ou cinq portions, puis garnir de bouquets de persil frais. Accompagner de légumes du marché.

 Pour déguster une viande tendre et savoureuse, sans risque de contamination, utilisez un thermomètre à viande. Servez la viande de porc du Québec à 70 ºC ou 160 ºF (température interne de la viande), c'est-à-dire dès que le jus devient clair.

 Chaque portion fournit 779 calories, 41 g de protéines, 41 g de glucides et 49 g de matières grasses.

PRÉPARATION : 15 min │ CUISSON : 1 h │ RENDEMENT : 4 portions

Porc à la provençale

300 g (10 oz)	*Cubes à ragoût (épaule ou cuisse) de porc du Québec*
75 ml ($^1/_3$ tasse)	*Farine*
30 ml (2 c. à soupe)	*Huile d'olive*
1 à 2	*Gousses d'ail écrasées*
300 ml (1 $^1/_4$ tasse)	*Vin blanc sec ou bouillon de légumes*
Au goût	*Sel et poivre frais moulu*
3	*Carottes pelées et coupées en bâtonnets*
1 boîte de 540 ml (19 oz)	*Tomates italiennes en dés, égouttées*
1	*Poireau taillé en rondelles*
20 ml (4 c. à thé)	*Fines herbes fraîches telles que marjolaine et thym ou 7 ml (1 $^1/_2$ c. à thé) d'herbes séchées*
12	*Olives noires Calamata entières*

■ **E**nfariner les cubes de porc. Faire chauffer l'huile à feu moyen-élevé dans une grande casserole à fond épais. Faire revenir les cubes pendant 3 à 4 min. Ajouter l'ail et laisser cuire pendant 1 min. Verser le vin, assaisonner au goût et porter à ébullition. Couvrir, réduire à feu moyen-doux et laisser mijoter pendant 35 min. ■ **A**jouter le reste des ingrédients, couvrir et faire cuire pendant 20 min. ■ **S**ervir avec des pommes de terre rôties à l'ail ou de l'orzo (fines pâtes en forme de riz), parfumé au citron et au poivre.

 Pour sauver de précieuses minutes à la préparation de votre repas du soir, faites ce plat à l'avance et réfrigérez-le ou congelez-le. Si vous utilisez des herbes fraîches, ajoutez-les au moment de réchauffer le plat.

 Chaque portion fournit 337 calories, 19 g de protéines, 23 g de glucides et 14 g de matières grasses.

PRÉPARATION : 15 min | CUISSON : 20 à 25 min | RENDEMENT : 4 portions

Escalopes de porc aux courgettes

30 ml (2 c. à soupe)	Huile d'olive
4 x 125 g (4 oz)	Escalopes de porc du Québec de 6 mm (¹/₄ po) d'épaisseur
750 ml (3 tasses)	Champignons frais tranchés
1 à 2	Gousses d'ail pressées
3	Petites courgettes tranchées finement
2	Grosses tomates fraîches, grossièrement hachées
2 ml (¹/₂ c. à thé)	Origan séché
Au goût	Sel et poivre frais moulu
200 ml (³/₄ tasse)	Fromage mozzarella râpé à 15 %

■ **F**aire chauffer la moitié de l'huile à feu moyen-vif dans une grande poêle. Faire dorer légèrement les escalopes de porc des deux côtés pendant envi-ron 1 min. Retirer et réserver dans un grand plat allant au four. ■ **F**aire chauffer le reste de l'huile à feu moyen. Ajouter les champignons et l'ail et

faire cuire pendant 5 min. Ajouter les courgettes, les tomates et l'origan ; laisser cuire pendant 10 min. Assaisonner au goût. ▪ **P**réchauffer le gril du four. Répartir la préparation de courgettes sur les escalopes à l'aide d'une cuillère trouée. Recouvrir de fromage mozzarella râpé. Glisser à 20 cm (8 po) sous le gril et faire griller pendant 6 à 7 min, jusqu'à ce que le fromage soit doré et fasse des bulles. ▪ **S**ervir accompagné de pâtes fraîches aux fines herbes, cuites *al dente*, assaisonnées au goût et parfumées avec un filet d'huile d'olive.

 Pour un repas plus raffiné, utilisez du fromage de chèvre et de l'origan frais plutôt que du fromage mozzarella et de l'origan séché. Servez le tout sur du pain baguette grillé et dégustez !

 Chaque portion fournit 269 calories, 26 g de protéines, 12 g de glucides et 4 g de matières grasses.

PRÉPARATION : 10 min | CUISSON : 3 à 4 min | RENDEMENT : 4 portions

Médaillons de porc au fromage beauceron

3	*Œufs battus*
125 ml (¹/₂ tasse)	*Fromage beauceron (ou fromage cheddar fort) râpé fin*
125 ml (¹/₂ tasse)	*Farine*
2 x 225 g (7 ¹/₂ oz)	*Filets de porc du Québec taillés en tranches de 1 cm (¹/₂ po) d'épaisseur*
30 ml (2 c. à soupe)	*Beurre*
15 ml (1 c. à soupe)	*Huile d'olive*
Au goût	*Sel et poivre frais moulu*

■ **M**élanger ensemble les œufs et le fromage. Enfariner les médaillons de porc, puis les tremper dans le mélange aux œufs. ■ **F**aire chauffer le beurre et l'huile à feu moyen dans une poêle à surface antiadhésive. Faire revenir les médaillons 3 à 4 min. Les retourner une fois à mi-cuisson. Saler après la cuisson. ■ **S**ervir immédiatement accompagné de légumes cuits et de pommes de terre en purée.

Vous pensez que le porc est riche en gras ? Détrompez-vous, car le porc d'aujourd'hui est une viande maigre et saine. Ses avantages nutritionnels sont comparables à ceux des autres viandes, volailles ou poissons.

Chaque portion fournit 392 calories, 37 g de protéines, 13 g de glucides et 20 g de matières grasses.

Qu'est-ce qu'on mange ?

Porc à la provençale
(recette p. 63)

Riz sauté au céleri et aux fines herbes et haricots verts

Gâteau des anges et douceur à la framboise

Du fromage ricotta mélangé avec de la confiture de framboises et des zestes de citron, puis tartiné sur une tranche de gâteau des anges du commerce.

Longe de porc glacée au gingembre et aux prunes
(recette p. 39)

Riz sauvage aux pleurotes et pois mange-tout à la vapeur

Yogourt glacé aux petits fruits et biscuits secs

Mijoté de porc à la toscane
(recette p. 59)

Pâtes fraîches, salade de romaine et vinaigrette balsamique

Prunes braisées au jus d'orange et touche de labneh *(fromage de yogourt)*

Porc-burgers picadillo
(recette p. 33)

Salade de maïs et de poivrons rouges

Yogourt à la poire
Mélange de yogourt nature, de miel et de poires en dés.

Menus de fête

Consommé apéritif à la tomate

Afin d'ouvrir les appétits, accueillez vos invités avec un mélange bien chaud de consommé et de jus de tomate, servi dans une tasse, où vous mettrez à flotter une rondelle de citron.

Salade de trois laitues au chèvre chaud

Combinez une laitue pâle (iceberg ou endive), une laitue foncée (frisée ou romaine) et une laitue rouge (frisée ou radicchio). Accompagnez-les d'une vinaigrette aux fines herbes et de petits toasts gratinés au fromage de chèvre.

Tournedos de porc à l'ananas confit
(recette p. 41)

Laissez les tendres tournedos de porc flirter avec les parfums du Cointreau et de l'ananas.

Riz basmati à l'estragon
et
Pois mange-tout et mini carottes glacées au miel citronné

Poires pochées au muscat et tuiles aux amandes

Faites mijoter des poires pelées mais encore entières dans du muscat (ou du vin blanc) parfumé d'un bâton de cannelle. Et choisissez de belles tuiles craquantes chez votre pâtissier.

Champignons grillés à l'italienne

Farcissez de gros chapeaux de champignons avec un mélange de céréales Shreddies broyées et de pesto. Décorez avec deux ou trois noix de pin et passez sous le gril.

Soupe de citrouille à l'indienne

Faites mijoter de la chair de citrouille et des oignons dans un bouillon relevé de cari, de curcuma et de graines de fenouil. Réduisez en purée et servez garni d'une rondelle de citron.

Sauté de porc paprikash

(recette p. 35)
Lamelles de porc tendre dans un camaïeu de rouges (poivron doux, tomate et paprika). Le vin blanc et la crème sure apportent finesse et moelleux.

Fleurettes de chou-fleur et de brocoli persillées

Miche de campagne au froment

Méli-mélo d'automne à l'orientale

Mélangez du bok choy en morceaux avec des lamelles de prune rouge, des germes de haricot, quelques feuilles de menthe fraîche et de basilic hachées. Assaisonnez de vinaigrette à l'ail.

Baklavas de pommes à la montérégienne

Dans des baluchons de pâte phyllo beurrée, placez de fines lamelles de pomme McIntosh avec des noisettes, du miel et de la cardamome. Faites dorer au four.

hiver

L'hiver s'installe. Les premières neiges de la saison, les grands froids, les chansons de Noël à la radio et les ampoules dans le sapin en sont les signes indiscutables. Réchauffez-vous en cuisinant des petits plats qui embaumeront la maison. Vous les accompagnerez de légumes de saison tels que navets, carottes et pommes de terre grelots. Dans la tourmente du temps des Fêtes, gardez votre sang-froid, ne serait-ce que dans la cuisine, en ayant soin de choisir des recettes faciles à faire. Et pour la nouvelle année, prenez une savoureuse résolution : redécouvrir la tendreté du porc et toutes ses possibilités culinaires. N'oubliez pas non plus d'adopter des habitudes alimentaires plus sages !

PRÉPARATION : 30 min | CUISSON : 1 h 15 | RENDEMENT : 4 portions

Carré de porc aux pruneaux, sauce au parfum des bois

30 ml (2 c. à soupe)	Huile végétale
1 à 1 ¹/₂ kg	Carré de porc du Québec paré
(2 à 2 ¹/₄ lb)	(demander au boucher de fendre l'os entre les côtes)
Au goût	Sel et poivre frais moulu
10	Gros pruneaux secs dénoyautés, hachés assez fin
75 ml (¹/₃ tasse)	Moutarde de Dijon
30 ml (2 c. à soupe)	Armagnac (ou cognac ou brandy)
2	Carottes taillées en dés
1	Oignon taillé en dés
1	Branche de céleri taillée en dés
16	Gousses d'ail entières et pelées (facultatif)
750 ml (3 tasses)	Vin blanc sec
500 ml (2 tasses)	Champignons sauvages ou champignons café émincés finement
10 ml (2 c. à thé)	Fécule de maïs
	délayée dans 15 ml (1 c. à soupe) d'eau froide
15 ml (1 c. à soupe)	Herbes salées ou herbes fraîches hachées

■ **F**aire chauffer l'huile dans une rôtissoire à feu moyen-vif et y faire dorer légèrement le carré de tous les côtés. Assaisonner au goût, puis retirer du feu et réserver. ■ **P**réchauffer le four à 160 ºC (325 ºF). Mélanger les pruneaux hachés avec la moutarde et l'armagnac. Tartiner le dessus du carré

▶

de porc de cette préparation. Insérer un thermomètre à viande au cœur de la chair, en veillant à ne pas toucher d'os. Déposer les carottes, l'oignon, le céleri et l'ail autour du carré et verser le vin. Faire cuire au four 30 min. ■ **A**jouter 375 ml (1 ½ tasse) d'eau bouillante dans la rôtissoire et poser un morceau de papier d'aluminium sur le dessus du rôti pour protéger les pruneaux. Poursuivre la cuisson pendant encore 30 min environ, ou jusqu'à ce que le thermomètre indique 70 °C (160 °F). Retirer le rôti et, avant de le découper, le laisser reposer pendant 15 min dans une assiette lâchement recouverte d'une feuille de papier d'aluminium. ■ **E**ntre-temps, verser le liquide de cuisson dans une casserole. Ajouter les champignons et faire cuire à feu vif pendant 10 min, puis incorporer la fécule délayée et les herbes. Ramener à ébullition et laisser mijoter 3 min. Rectifier l'assaisonnement. Trancher le carré entre les côtes. Servir avec la sauce et les gousses d'ail braisées, si désiré. ■ **A**ccompagner de carottes au beurre et d'une purée de pommes de terre parfumée à la muscade.

 Lorsque vous découpez un carré de porc, soulevez-le par le bout des os pour voir où se dirige la lame du couteau. Il vous sera ainsi plus facile de découper les portions le long de l'os et d'obtenir des tranches d'épaisseur égale.

 Chaque portion fournit 532 calories, 38 g de protéines, 30 g de glucides et 14 g de matières grasses.

PRÉPARATION : 30 min | CUISSON : 1 h 15 | RENDEMENT : 6 portions

Cretons

30 ml (2 c. à soupe)	Beurre
1	Oignon haché finement
500 g (1 lb)	Porc du Québec haché mi-maigre
200 ml ($^3/_4$ tasse)	Bouillon de légumes ou de volaille
1 ml ($^1/_4$ c. à thé)	Cannelle moulue
1 ml ($^1/_4$ c. à thé)	Clou de girofle moulu
15 ml (1 c. à soupe)	Persil séché
Au goût	Sel et poivre frais moulu
75 ml ($^1/_3$ tasse)	Chapelure

■ **D**ans une grande casserole, faire chauffer le beurre à feu moyen-élevé et y faire revenir l'oignon pendant 2 min. Ajouter le porc haché et faire sauter pendant 5 min. Incorporer le bouillon, la cannelle, le clou de girofle et le persil. Couvrir et laisser mijoter à feu doux pendant 1 h. ■ **A**ssaisonner au goût. Incorporer la chapelure et battre à l'aide d'un batteur électrique. Verser la préparation dans un moule, puis presser fermement. Couvrir et réfrigérer pendant environ 4 h.

 Les repas pauvres en protéines nous laissent sur notre faim. Assurez-vous d'inclure une source de protéines de qualité à chaque repas. Au petit-déjeuner, agrémentez vos rôties de cretons de porc pour commencer la journée du bon pied.

 Chaque portion fournit 239 calories, 16 g de protéines, 6 g de glucides et 17 g de matières grasses.

Porc-burgers à l'oignon et au fromage

500 g (1 lb)	*Porc du Québec haché maigre*
50 ml (¼ tasse)	*Mélange de soupe à l'oignon déshydratée*
100 ml (6 c. à soupe)	*Mélange de mozzarella et de cheddar râpés*
15 à 30 ml (1 à 2 c. à soupe)	*Vermouth ou porto*
Au goût	*Poivre frais moulu*
4	*Pains kaiser grillés*
4	*Feuilles de laitue romaine*
1	*Poivron jaune tranché en fines rondelles*

■ **M**élanger le porc avec la soupe à l'oignon déshydratée, les fromages et le vermouth. Façonner quatre galettes de 1 cm (env. ½ po) d'épaisseur. Poivrer au goût. ■ **F**aire griller les galettes sous le gril du four préchauffé, dans une poêle-gril à chaleur moyenne ou sur le barbecue pendant 5 à 10 min. À mi-cuisson, retourner les galettes à l'aide d'une spatule. ■ **L**es placer dans les pains grillés, garnis de feuilles de laitue et de rondelles de poivron. Servir avec une salade verte garnie de quartiers de pomme et de persil frais haché.

■ **Variante :** On peut remplacer ces fromages par d'autres mélanges de fromages (à pizza, à nachos, etc.) ou, pour consommer moins de gras et de calories, par du fromage mozzarella partiellement écrémé.

Les familles rapetissent, mais, sur les étagères, les emballages deviennent de plus en plus grands… Profitez du prix alléchant des grands formats, mais divisez le contenu en portions plus pratiques et congelez-les.

Chaque portion fournit 543 calories, 31 g de protéines, 42 g de glucides et 28 g de matières grasses.

PRÉPARATION : 15 min | CUISSON : 35 à 40 min | RENDEMENT : 6 portions

Mini pains de porc à la florentine

75 ml (¹/₃ tasse)	Fromage ricotta (ou cottage écrasé)
1 ml (¹/₄ c. à thé)	Muscade moulue
75 ml (¹/₃ tasse)	Épinards hachés surgelés, décongelés et essorés
750 g (1 ¹/₂ lb)	Porc du Québec haché maigre
125 ml (¹/₂ tasse)	Pain séché émietté (ou craquelins de blé écrasés)
1	Œuf
50 ml (¹/₂ tasse)	Échalotes ou oignons finement hachés
Au goût	Sel et poivre frais moulu
5 ml (1 c. à thé)	Huile de canola ou de tournesol

■ **P**réchauffer le four à 200 ºC (400 ºF). Incorporer le fromage ricotta et la muscade aux épinards. Réserver. ■ **M**élanger le porc avec le pain émietté, l'œuf et les échalotes. Assaisonner au goût. Répartir la moitié de cette préparation dans un moule à six muffins légèrement huilé. Façonner une cavité au centre de chaque muffin et remplir du mélange d'épinards. Couvrir avec le reste de la préparation de viande. Faire cuire au four pendant 35 à 40 min. ■ **S**ervir avec une sauce tomate et champignons du commerce et accompagner de haricots verts et jaunes cuits à la vapeur.

■ **Note :** Cette recette convient aussi à un moule à pain ordinaire. Calculer 1 h pour la cuisson et laisser reposer 5 min avant de servir.

Pour un lunch vraiment différent, servir tranché, en sandwich, avec du pain aux raisins grillé, de la laitue et des lamelles de pomme.

Chaque portion fournit 345 calories, 25 g de protéines, 6 g de glucides et 25 g de matières grasses.

PRÉPARATION : 10 min | CUISSON : 1 h 35 | RENDEMENT : 4 portions

Rôti de longe de porc au caramel de pomme et au romarin

75 ml (¹/₃ tasse)	*Beurre de pomme du commerce*
45 ml (3 c. à soupe)	*Romarin frais haché*
Au goût	*Sel et poivre frais moulu*
30 ml (2 c. à soupe)	*Huile végétale*
1 kg (2 lb)	*Rôti de longe de porc du Québec désossé*
2	*Oignons espagnols moyens finement émincés*
60 ml (4 c. à soupe)	*Sauce tamari (ou soya)*
200 ml (³/₄ tasse)	*Bouillon de légumes ou de volaille*
200 ml (³/₄ tasse)	*Sirop de pomme*

■ **M**élanger le beurre de pomme avec le romarin et une quantité généreuse de poivre frais moulu. Réserver. ■ **P**réchauffer le four à 160 ºC (325 ºF). Faire chauffer l'huile dans une rôtissoire à feu moyen-vif et y faire dorer légèrement le rôti de porc de tous les côtés. Le recouvrir ensuite du mélange au beurre de pomme. Insérer un thermomètre à viande au cœur de la chair. ■ **D**isposer les oignons émincés tout autour du rôti, puis verser la sauce tamari (ou soya), le bouillon et le sirop de pomme. Faire cuire au four pendant 1 h 30, ou jusqu'à ce que le thermomètre indique 70 ºC (160 ºF). Retirer le rôti du four, le couvrir lâchement de papier d'aluminium et le laisser reposer 15 min avant de le découper en tranches. ■ **S**ervir avec les oignons confits et un mélange de légumes rôtis (panais, carottes, pommes de terre et petits navets).

Toutes les coupes de rôtis de porc désossés donneront d'excellents résultats apprêtés selon cette recette, surtout si la cuisson est parfaitement ajustée à l'aide du thermomètre à viande.

Chaque portion fournit 613 calories, 55 g de protéines, 61 g de glucides et 16 g de matières grasses.

Tourtière du Lac-Saint-Jean

500 g (1 lb)   *Cubes à ragoût (épaule) de porc du Québec*
               de ¹/₂ cm (¹/₄ po)
500 g (1 lb)   *Cubes de chevreuil, de caribou ou de bœuf de ¹/₂ cm (¹/₄ po)*
90 g (3 oz)   *Lard salé (ou tranches de bacon) haché*
2   *Oignons hachés*
2   *Abaisses de pâte brisée*
4   *Pommes de terre pelées et taillées en petits cubes*
Au goût   *Sel et poivre noir frais moulu*

■ **D**ans un grand bol, mélanger ensemble les cubes de viande, le lard salé et les oignons. Couvrir et laisser macérer au réfrigérateur pendant 12 h. ■ **Fon**cer une cocotte à fond épais ou un plat creux allant au four avec une abaisse de pâte brisée. ■ **P**réchauffer le four à 200 ºC (400 ºF). ■ **I**ncorporer les cubes de pommes de terre à la viande, assaisonner et verser la préparation dans la cocotte. Recouvrir le tout d'eau, puis fermer avec la deuxième abaisse. Faire quelques incisions. Faire cuire au four 30 min, puis diminuer la température à 120 ºC (250 ºF) et poursuivre la cuisson pendant 1 h 30.

 Doubler les quantités de la recette pour faire une deuxième tourtière est un excellent moyen de sauver du temps, surtout au moment des Fêtes. Vous pourrez satisfaire les visiteurs qui arriveront à l'improviste !

 Chaque portion fournit 554 calories, 32 g de protéines, 32 g de glucides et 32 g de matières grasses.

84

PRÉPARATION : 30 min | CUISSON : 2 h | RENDEMENT : 6 à 8 portions

Tête fromagée

1 kg (2 lb)	Jarrets de porc du Québec (ou épaule)
3	Oignons hachés
4	Carottes râpées
4	Branches de céleri hachées
30 ml (2 c. à soupe)	Herbes de Provence (thym, romarin, basilic, feuille de laurier) emballées et ficelées dans un morceau de mousseline à fromage ou de tissu propre
3 litres (12 tasses)	Eau
Au goût	Sel et poivre frais moulu

■ **C**ouper les jarrets de porc en gros morceaux et les déposer dans une grande casserole. Ajouter le reste des ingrédients et couvrir d'eau. Amener à ébullition. Couvrir et laisser mijoter à feu doux pendant 2 h ou jusqu'à ce que la viande se détache facilement des os. Assaisonner au goût. ■ **R**etirer les morceaux de jarret du bouillon. Passer le bouillon au tamis. Défaire la viande à la fourchette et hacher grossièrement. Déposer la viande dans le bouillon encore chaud et faire mijoter pendant 10 min. ■ **V**erser dans des moules individuels et réfrigérer pendant au moins 5 h ou jusqu'à ce que le tout ait la consistance d'une gelée.

Garnissez l'intérieur d'un sandwich d'une tranche de tête fromagée, de luzerne, de tomates et de condiments de votre choix ou servez-en quelques tranches fines en salade, le tout arrosé de votre vinaigrette préférée.

Chaque portion fournit 281 calories, 36 g de protéines, 11 g de glucides et 10 g de matières grasses.

PRÉPARATION : 12 min | CUISSON : 10 à 12 min | RENDEMENT : 4 portions

Pitas de blé entier au porc haché

1	Poivron vert, coupé en dés
500 g (1 lb)	Porc du Québec haché maigre
125 ml (¹/₂ tasse)	Pepperoni haché
2	Tomates moyennes, fraîches, épépinées et coupées en cubes
Au goût	Sel, poivre frais moulu et herbes italiennes séchées
4	Petits pains pitas de blé entier
250 ml (1 tasse)	Fromage mozzarella à 15 %, râpé

■ **D**ans une poêle à surface antiadhésive, faire sauter à feu moyen le poivron, le porc et le pepperoni pendant 6 à 7 min. Incorporer les tomates et faire chauffer pendant 1 min en remuant. Assaisonner au goût. ■ **D**écouper une lanière de 1 cm (¹/₂ po) de largeur à une extrémité des pains pitas et ouvrir ceux-ci en prenant soin de ne pas les déchirer. Répartir le fromage et la préparation de viande dans les mini pochettes. Fermer avec des cure-dents. Passer sous le gril du four pendant 2 à 3 min. ■ **S**ervir avec des crudités au choix, comme des lanières de poivrons jaunes et oranges.

Le porc est un aliment parfait pour les jeunes, pour les tout-petits et pour les adolescents. Grâce à sa haute valeur nutritive, le porc comble leurs besoins élevés en protéines, en vitamines et en minéraux nécessaires à leur croissance.

Chaque portion fournit 614 calories, 38 g de protéines, 40 g de glucides et 34 g de matières grasses.

PRÉPARATION : 30 min | CUISSON : 35 à 45 min | RENDEMENT : 4 à 6 portions

Ragoût de boulettes

750 g (1 ½ lb)	Porc du Québec haché maigre
1	Oignon haché finement
1 ml (¼ c. à thé)	Muscade moulue
1 ml (¼ c. à thé)	Clou de girofle moulu
1 ml (¼ c. à thé)	Cannelle moulue
5 ml (1 c. à thé)	Persil séché
Au goût	Sel et poivre frais moulu
15 ml (1 c. à soupe)	Beurre
750 ml (3 tasses)	Eau
50 ml (¼ tasse)	Farine grillée (du commerce) délayée dans 50 ml (¼ tasse) d'eau

■ **M**élanger ensemble le porc haché, l'oignon, la muscade, le clou de girofle, la cannelle et le persil. Assaisonner de sel. Poivrer au goût. Façonner en boulettes. ■ **D**ans une grande casserole, faire fondre le beurre et y faire revenir les boulettes pendant 5 min. Ajouter l'eau, couvrir et laisser mijoter à feu doux pendant 30 à 40 min. ■ **I**ncorporer la farine délayée au bouillon et faire cuire, en remuant, jusqu'à ce que la sauce épaississe.

Avant de manipuler des aliments, lavez-vous toujours les mains. Travaillez le mélange de porc haché promptement, puis lavez-vous les mains de nouveau. Une viande hachée travaillée trop longtemps sera moins tendre.

Chaque portion fournit 380 calories, 26 g de protéines, 6 g de glucides et 28 g de matières grasses.

PRÉPARATION : 20 min | CUISSON : 8 à 10 min | RENDEMENT : 4 portions

Sauté de porc minute à l'orientale

45 ml (3 c. à soupe)	*Huile de tournesol*
2	*Poivrons moyens, 1 vert et 1 rouge, taillés en fines lanières*
2	*Oignons coupés en huit et défaits en lamelles*
1 paquet de 227 g (8 oz)	*Champignons frais déjà tranchés*
4 x 150 g (5 oz)	*Côtelettes papillons de porc du Québec de 2 cm (³/₄ po) d'épaisseur, parées et taillées en minces lanières*
45 ml (3 c. à soupe)	*Gingembre frais râpé*
1	*Gousse d'ail pressée*
60 ml (4 c. à soupe)	*Sauce hoisin*
125 ml (¹/₂ tasse)	*Vin de riz (vin blanc ou bouillon de volaille)*
Au goût	*Sel et poivre frais moulu*

■ **F**aire chauffer l'huile à feu vif dans un wok ou dans une grande sauteuse à surface antiadhésive. Faire revenir les poivrons, les oignons et les champignons pendant 2 min. Égoutter et réserver. ■ **B**aisser à feu moyen-vif et faire sauter les lanières de porc pendant 2 min. Retirer et réserver. ■ **F**aire revenir le gingembre et l'ail pendant 1 min. Ajouter la sauce hoisin et le vin, puis faire réduire en remuant pendant 2 à 3 min. ■ **R**emettre les légumes et la viande dans le wok et réchauffer le tout pendant 1 min en remuant. Assaisonner au goût. ■ **S**ervir aussitôt sur du riz cuit à la vapeur ou des vermicelles de riz avec, en garniture, des oignons verts tranchés.

Les languettes de porc, taillées plus mince, conviennent aussi très bien à cette recette. Vous pouvez utiliser un mélange de légumes tout préparés (frais, déjà lavés et taillés) ou un mélange surgelé.

Chaque portion fournit 316 calories, 38 g de protéines, 19 g de glucides et 10 g de matières grasses.

PRÉPARATION : 30 min | CUISSON : 1 h à 1 h 15 | RENDEMENT : 6 portions

Tourtière

15 ml (1 c. à soupe)	Beurre
1	Oignon haché finement
1	Gousse d'ail hachée finement
500 g (1 lb)	Porc du Québec haché maigre
2 ml ($\frac{1}{2}$ c. à thé)	Sarriette
1 ml ($\frac{1}{4}$ c. à thé)	Clou de girofle moulu
1 ml ($\frac{1}{4}$ c. à thé)	Cannelle moulue
125 ml ($\frac{1}{2}$ tasse)	Bouillon (ou eau)
Au goût	Sel et poivre frais moulu
2	Abaisses de pâte brisée
Pour badigeonner	Jaune d'œuf battu

■ **D**ans une casserole, faire fondre le beurre et faire sauter l'oignon et l'ail pendant 3 min. Ajouter le porc et faire sauter le tout 5 min. Incorporer la sarriette, le clou de girofle, la cannelle et le bouillon (ou l'eau). Couvrir et laisser mijoter à feu doux pendant environ 30 min. Assaisonner de sel et poivre au goût et réserver. ■ **P**réchauffer le four à 170 ºC (350 ºF). ■ **F**oncer une assiette à tarte de 23 cm (9 po) avec une abaisse, puis y verser le mélange. Recouvrir de la deuxième abaisse et faire des petites incisions sur le dessus pour permettre à la vapeur de s'échapper. Badigeonner de jaune d'œuf. Faire cuire au four pendant 30 min ou jusqu'à ce que la croûte soit dorée.

Les viandes congelées devraient toujours être mises à décongeler au réfrigérateur. Pour un paquet de 1 kg (2 lb) de porc haché, prévoyez 8 à 10 h et, pour un paquet de 500 g (1 lb), 3 à 4 h.

Chaque portion fournit 513 calories, 19 g de protéines, 30 g de glucides et 35 g de matières grasses.

PRÉPARATION : 15 min | CUISSON : 30 min | RENDEMENT : 4 portions

Côtelettes au cari de Bombay

20 ml (4 c. à thé)	Huile végétale
4 x 150 g (5 oz)	Côtelettes de porc du Québec désossées de 2 cm (³/₄ po) d'épaisseur
2	Oignons grossièrement hachés
45 ml (3 c. à soupe)	Poudre de cari ou 30 ml (2 c. à soupe) de pâte de cari
4	Pommes de terre brossées et coupées en dés
4	Carottes taillées en rondelles
375 ml (1 ½ tasse)	Haricots verts frais
200 ml (³/₄ tasse)	Bouillon de légumes ou de volaille
1 boîte de 540 ml (19 oz)	Lentilles rincées et égouttées
200 ml (³/₄ tasse)	Yogourt mélangé avec 10 ml (2 c. à thé) de fécule de maïs

■ **F**aire chauffer la moitié de l'huile à feu moyen-élevé dans une grande casserole à fond épais. Faire dorer légèrement les côtelettes des deux côtés pendant 2 à 3 min. Retirer les côtelettes et réserver. ■ **D**ans le reste de l'huile, faire revenir les oignons avec la poudre de cari pendant 2 min (si on utilise de la pâte de cari, l'ajouter au yogourt). Ajouter les légumes et le bouillon. Couvrir et porter à ébullition. Réduire à feu moyen-doux et laisser mijoter 12 à 15 min. ■ **A**jouter le porc. Couvrir et faire cuire pendant 6 à 7 min. Incorporer les lentilles et le mélange yogourt et fécule de maïs. Assaisonner au goût et laisser mijoter 3 min tout en remuant. Garnir de coriandre fraîche hachée, si désiré.

Pour un lunch formidable, servez ce cari froid en sandwich roulé (*wrap*) dans un pain pita, avec les côtelettes taillées en lanières et des tranches de concombre.

Chaque portion fournit 500 calories, 38 g de protéines, 66 g de glucides et 10 g de matières grasses.

PRÉPARATION : 25 min | CUISSON : 1 h 05 à 1 h 10 | RENDEMENT : 4 portions

Blanquette de porc cari-coco

500 g (1 lb)	*Cubes à ragoût (épaule ou cuisse) de porc du Québec*
1	*Oignon piqué de 4 clous de girofle*
1	*Bouquet garni (persil, thym, laurier)*
Au goût	*Sel et poivre frais moulu*
45 ml (3 c. à soupe)	*Beurre*
1 paquet de 227 g (8 oz)	*Champignons coupés en quatre*
250 ml (1 tasse)	*Vin blanc sec*
45 ml (3 c. à soupe)	*Poudre de cari ou 30 ml (2 c. à soupe) de pâte de cari*
50 ml ($^1/_4$ tasse)	*Beurre de pomme du commerce*
20 ml (4 c. à thé)	*Fécule de maïs délayée dans de l'eau froide*
3	*Mangues à peine mûres, pelées et taillées en cubes*
1 boîte de 400 ml (13 $^1/_2$ oz)	*Lait de coco nature (non sucré)*
$^1/_2$	*Citron (jus et zeste finement râpé)*
Pour garnir	*Coriandre fraîche, hachée*

▶

■ **D**ans un grand faitout, mettre les cubes de porc, l'oignon piqué de clous et le bouquet garni. Couvrir d'eau, assaisonner au goût, placer le couvercle sur le récipient et faire cuire à feu moyen pendant 1 h. ■ **E**nviron 15 min avant la fin de la cuisson du porc, faire fondre le beurre à feu moyen-vif dans une grande cocotte à fond épais et y faire revenir les champignons. Ajouter le vin et cuire en remuant à l'occasion pendant 10 min, ou jusqu'à ce que le liquide ait réduit de moitié. ■ **I**ncorporer les cubes de porc égouttés, le cari, le beurre de pomme et la fécule délayée. Porter à ébullition, puis faire mijoter pendant 3 à 4 min. ■ **I**ncorporer les cubes de mangue, le lait de coco, le jus et le zeste de citron. Bien réchauffer le tout sans faire bouillir. Rectifier l'assaisonner au goût. ■ **S**ervir décoré de coriandre fraîche hachée avec du riz basmati ou des bananes plantains rissolées.

Ce plat peut être préparé à l'avance et congelé. Faites la dernière étape (mangue, lait de coco et citron), juste avant de servir.

Chaque portion fournit 674 calories, 32 g de protéines, 47 g de glucides et 39 g de matières grasses.

PRÉPARATION : 30 min | CUISSON : 3 h 45 à 4 h | RENDEMENT : 4 à 6 portions

Ragoût de pattes de porc

2	Jarrets de porc du Québec, taillés en rondelles
2	Oignons hachés
2	Branches de céleri hachées
2	Carottes coupées en morceaux
1 ml (¼ c. à thé)	Clou de girofle moulu
1 ml (¼ c. à thé)	Cannelle moulue
Au goût	Sel et poivre noir frais moulu
1 à 1,5 litre (4 à 6 tasses)	Eau
4	Pommes de terre pelées et coupées en cubes
50 ml (¼ tasse)	Farine grillée (du commerce) délayée dans 50 ml (¼ tasse) d'eau

■ **F**aire blanchir les jarrets de porc dans de l'eau bouillante pendant 2 à 3 min, puis égoutter et jeter l'eau. Déposer les jarrets de porc, les oignons, le céleri, les carottes, le clou de girofle, la cannelle, le sel et le poivre dans une grande casserole. Ajouter l'eau, couvrir et laisser mijoter pendant 3 h.

■ **R**etirer les pattes de porc du bouillon et les réserver. Filtrer le bouillon et jeter les légumes. Verser le bouillon filtré dans une casserole. Ajouter les pommes de terre et laisser mijoter pendant 15 min ou jusqu'à ce que les pommes de terre soient tendres. Incorporer la farine grillée au bouillon en remuant jusqu'à ce que la sauce épaississe. Ajouter les pattes de porc et bien réchauffer le tout.

Faites de cette recette une soupe-repas délicieuse en ajoutant au bouillon filtré des carottes émincées, des navets, des blancs de poireau, du céleri, du panais et du riz. Portez le tout à ébullition 30 min, ajoutez la viande des jarrets et dégustez !

Chaque portion fournit 445 calories, 46 g de protéines, 38 g de glucides et 12 g de matières grasses.

PRÉPARATION : 15 à 20 min | CUISSON : 6 à 12 min | RENDEMENT : 4 portions

Côtelettes au gruyère fumé

15 ml (1 c. à soupe)	*Huile d'olive*
1	*Poivron jaune taillé en lanières*
1	*Poivron vert taillé en lanières*
4	*Pommes de terre non pelées, tranchées finement*
Au goût	*Sel et poivre noir ou rose frais moulu*
4 x 150 g (5 oz)	*Côtelettes de porc du Québec (milieu de longe) avec os de 2,5 cm (1 po) d'épaisseur*
45 ml (3 c. à soupe)	*Moutarde de Dijon à l'estragon*
4	*Tranches de gruyère fumé*

■ **B**adigeonner d'huile les légumes et les mélanger. Assaisonner au goût. Répartir le mélange sur quatre carrés de papier d'aluminium et refermer les papillotes. Cuire au four à 190 °C (375 °F) pendant environ 15 min. ■ **T**rancher les côtelettes dans le sens de l'épaisseur pour faire des pochettes. Badigeonner l'intérieur de chaque côtelette de moutarde et y glisser une tranche de fromage. Refermer et poivrer abondamment les deux côtés. ■ **G**riller sous le gril du four préchauffé dans une poêle-gril ou sur le barbecue, à chaleur moyenne, pendant 6 à 12 min. À mi-cuisson, retourner les côtelettes à l'aide de pinces. Saler à la fin de la cuisson. Servir avec les papillotes de légumes.

 Équilibrée, l'alimentation du porc est composée de produits nutritifs entièrement naturels (céréales et suppléments de vitamines et de minéraux).

 Chaque portion fournit 459 calories, 48 g de protéines, 24 g de glucides et 19 g de matières grasses.

PRÉPARATION : 5 min | CUISSON : 6 à 8 min sous le gril | RENDEMENT : 4 portions

Côtes levées des bayous

750 ml (3 tasses)	Sauce tomate
125 ml (1/2 tasse)	Rhum brun
125 ml (1/2 tasse)	Eau
100 ml (6 c. à soupe)	Cassonade
2 à 5 ml (1/2 à 1 c. à thé)	Flocons de piment fort séché
7 ml (1 1/2 c. à thé)	Piment de la Jamaïque moulu (toute-épice)
Au goût	Sel
4 x 4 côtes	Côtes levées (dos) de porc du Québec parées
30 ml (2 c. à soupe)	Coriandre fraîche (ou persil frais) hachée

■ **D**ans une grande casserole, mélanger la sauce tomate, le rhum, l'eau, la cassonade, les flocons de piment fort et le piment de la Jamaïque. Saler au goût. Porter à ébullition, ajouter les côtes levées, couvrir et laisser mijoter à feu doux pendant 45 min. ■ **É**goutter les côtes levées et réserver la sauce. Sous le gril du four préchauffé, griller les côtes pendant 3 à 4 min de chaque côté, en les badigeonnant souvent de la sauce réservée. Retirer du feu et parsemer de coriandre hachée avant de servir. ■ **A**ccompagner d'une salade de blé concassé et de courgettes grillées.

 Le porc est gagnant à tous coups auprès des petits. Sa douceur et sa tendreté savent plaire même aux plus capricieux !

 Chaque portion fournit 310 calories, 20 g de protéines, 5 g de glucides et 20 g de matières grasses.

Canapés de porc farcis à l'abricot

220 g (7 oz)	Escalopes de porc du Québec
40 g (1 ½ oz)	Pancetta
6	Abricots séchés
2	Gousses d'ail hachées
5 ml (1 c. à thé)	Échalotes sèches hachées
2 ml (½ c. à thé)	Gingembre haché
2	Tranches de bacon
Au goût	Romarin frais
30 g (1 oz)	Porc du Québec haché mi-maigre

■ **D**époser les escalopes sur une pellicule plastique et placer les tranches de pancetta au centre de la viande. Placer ensuite les abricots au centre des escalopes, sur toute leur longueur. ■ **M**élanger l'ail, les échalotes, le gingembre, le bacon et le romarin avec le porc haché. ■ **D**époser ce mélange sur les abricots. Rouler le tout en forme de saucisson, puis envelopper de papier d'aluminium et pocher dans de l'eau bouillante pendant 12 à 15 min. ■ **R**efroidir. Couper en tranches de 0,5 cm (¼ po) d'épaisseur.

Recevoir de 5 à 7 est une formule très avantageuse. Vous pouvez servir des bouchées froides tout au long de la réception et présenter des hors-d'œuvre chauds à des moments précis.

Chaque bouchée fournit 49 calories, 4 g de protéines, 2 g de glucides et 3 g de matières grasses.

PRÉPARATION : 10 min | CUISSON : 12 à 15 min | RENDEMENT : 18 à 20 canapés

Canapés de porc farcis à la tangerine et au chèvre

220 g (7 oz)	Escalopes de porc du Québec
4	Feuilles d'épinard
5 ml (1 c. à thé)	Échalotes sèches
4	Quartiers de tangerine
2 ml (½ c. à thé)	Thym séché
30 g (1 oz)	Porc du Québec haché maigre
5 ml (1 c. à thé)	Fromage de chèvre
10 ml (2 c. à thé)	Miel
10 ml (2 c. à thé)	Moutarde à l'ancienne
20 ml (4 c. à thé)	Huile d'olive

■ **D**époser les escalopes sur une pellicule plastique et placer les feuilles d'épinard au centre de la viande. ■ **H**acher les échalotes et les tangerines, puis incorporer le thym. Ajouter au porc haché et mélanger avec le fromage, le miel, la moutarde à l'ancienne et l'huile d'olive. ■ **D**époser ce mélange sur les feuilles d'épinard. Rouler le tout en forme de saucisson. Envelopper de papier d'aluminium et pocher dans de l'eau bouillante pendant 12 à 15 min. ■ **R**efroidir. Couper en tranches de 0,5 cm (¼ po) d'épaisseur.

De nos jours, le porc est une viande tout à fait saine. Pour préserver la grande qualité du porc haché, conservez-le au réfrigérateur de 1 à 2 jours et au congélateur de 1 à 3 mois.

Chaque canapé fournit 53 calories, 4 g de protéines, 1 g de glucides et 3 g de matières grasses.

PRÉPARATION : 15 min | CUISSON : 12 à 15 min | RENDEMENT : 4 portions

Médaillons de porc, sauce aux canneberges et au porto

15 ml (1 c. à soupe)	*Huile de canola ou de tournesol*
2 x 225 g (7 ½ oz)	*Filets de porc du Québec taillés en tranches de 1 cm (env. ½ po) d'épaisseur*
½	*Oignon blanc ou jaune, tranché très mince*
250 ml (1 tasse)	*Canneberges (fraîches ou surgelées)*
200 ml (¾ tasse)	*Porto*
50 ml (¼ tasse)	*Miel liquide*
30 ml (2 c. à soupe)	*Romarin frais (feuilles seulement)*
Au goût	*Sel et poivre frais moulu*

■ **F**aire chauffer l'huile à feu moyen dans une poêle à surface antiadhésive. Faire revenir le porc pendant 3 à 4 min, puis le retirer, couvrir et réserver. ■ **D**ans la même poêle, faire sauter l'oignon et les canneberges pendant 5 à 6 min. Ajouter le porto, le miel et le romarin, puis porter à ébullition à feu moyen-élevé. Faire réduire en remuant pendant 3 à 4 min. ■ **I**ncorporer le porc et réchauffer pendant 1 min. Assaisonner au goût et servir.

Donnez un petit air de fête à vos assiettes en plaçant les tranches de porc en éventail de façon symétrique ou en décorant le plat avec des petites branches de cèdre ou de sapin bien nettoyées.

Chaque portion fournit 336 calories, 28 g de protéines, 28 g de glucides et 7 g de matières grasses.

PRÉPARATION : 20 min | CUISSON : 1 h 15 | RENDEMENT : 4 portions

Escalopes de porc aux herbes et au chou de Savoie

125 g (4 oz)	Porc du Québec haché maigre
1 ½	Oignon jaune haché finement
2	Gousses d'ail hachées finement
1	Œuf légèrement battu
1	Brin d'estragon frais (hacher les feuilles)
Au goût	Sel et poivre frais moulu
4 x 125 g (4 oz)	Escalopes de porc du Québec, aplaties à 6 mm (¼ po) d'épaisseur
4	Feuilles de chou de Savoie blanchies à l'eau salée (côtes enlevées)
30 ml (2 c. à soupe)	Huile d'olive
125 ml (½ tasse)	Vin blanc sec
1,5 litre (6 tasses)	Sauce tomate
2	Branches d'origan frais (hacher les feuilles)
2	Branches de thym frais (hacher les feuilles)
2	Branches de basilic frais (hacher les feuilles)

■ **M**élanger le porc haché, ½ oignon, 1 gousse d'ail, l'œuf, l'estragon et assaisonner au goût. Placer les escalopes sur une surface de travail, puis étendre le quart du mélange sur chacune. Rouler l'escalope fermement, puis la déposer sur une feuille de chou. Rouler encore et ficeler. Réserver. Faire chauffer l'huile à feu moyen-vif dans une poêle à surface antiadhésive. Faire revenir le reste d'oignon et d'ail 1 à 2 min. Mouiller du vin blanc et de la sauce tomate. Ajouter les escalopes, couvrir et laisser mijoter à feu très doux pendant 1 h à 1 h 15. Incorporer les fines herbes 5 min avant la fin de la cuisson.

 La technique du blanchiment vise à assouplir les feuilles de chou et, aussi, à leur faire perdre leur âcreté. Pour que les feuilles blanchies conservent leur belle couleur verte, plongez-les immédiatement dans de l'eau glacée.

 Chaque portion fournit 475 calories, 39 g de protéines, 33 g de glucides et 21 g de matières grasses.

PRÉPARATION : 10 min | CUISSON : 25 à 30 min | RENDEMENT : 4 portions

Filets de porc méditerranéens

125 ml (¹/₂ tasse)	*Olives noires dans l'huile, dénoyautées et hachées*
30 ml (2 c. à soupe)	*Câpres égouttées et hachées*
2	*Gousses d'ail hachées*
30 ml (2 c. à soupe)	*Jus de citron*
30 ml (2 c. à soupe)	*Mie de pain séchée (chapelure)*
2 x 225 g (7 ¹/₂ oz)	*Filets de porc du Québec*
30 ml (2 c. à soupe)	*Huile d'olive*
125 ml (¹/₂ tasse)	*Vermouth rouge*
Au goût	*Sel et poivre frais moulu*
10 ml (2 c. à thé)	*Fécule de maïs délayée dans un peu de bouillon*

■ **P**réchauffer le four à 190 ºC (375 ºF). ■ **M**élanger les olives noires, les câpres, l'ail, le jus de citron et la chapelure. Couper les filets dans le sens de la longueur pour obtenir des pochettes. Farcir chaque filet avec le mélange et ficeler. Faire chauffer l'huile à feu moyen dans une poêle à surface antiadhésive et saisir les filets farcis de tous les côtés. ■ **D**époser dans un plat allant au four et arroser de vermouth. Faire cuire au four 25 à 30 min ou jusqu'à ce que le thermomètre indique 70 ºC (160 ºF). Assaisonner au goût. Avant de servir, laisser reposer 2 à 3 min. Dans la même poêle, réchauffer le jus de cuisson au vermouth. Incorporer la fécule de maïs délayée et laisser épaissir à feu doux. Verser cette sauce sur les filets et servir avec du riz sauvage et des carottes.

 Les fibres de la viande se contractent sous l'effet de la chaleur intense. En la laissant reposer après la cuisson, la chair se détend et les différents sucs se répartissent de façon égale dans toute la pièce de viande, qui reste tendre et juteuse.

 Chaque portion fournit 287 calories, 28 g de protéines, 8 g de glucides et 12 g de matières grasses.

PRÉPARATION : 5 min | CUISSON : 15 à 20 min | RENDEMENT : 4 portions

Filets de porc aux cinq joyaux

60 ml (4 c. à soupe)	*Sauce hoisin*
60 ml (4 c. à soupe)	*Miel*
60 ml (4 c. à soupe)	*Ketchup*
3 à 4	*Gousses d'ail écrasées*
10 à 15 ml (2 à 3 c. à thé)	*Poudre de cinq-épices (épices chinoises)*
2 x 225 g (7 ½ oz)	*Filets de porc du Québec*
Au goût	*Sel et poivre frais moulu*

■ **P**réchauffer le four à 190 ºC (375 ºF). ■ **M**élanger la sauce hoisin, le miel, le ketchup, l'ail et la poudre de cinq-épices. Badigeonner chaque filet de 15 ml (1 c. à soupe) de ce mélange. Déposer les filets sur la grille d'une lèchefrite. Insérer un thermomètre à viande au centre de la partie la plus charnue d'un filet. Faire cuire au four 15 à 20 min ou jusqu'à ce que le thermomètre indique 70 ºC (160 ºF). ■ **E**ntre-temps, faire chauffer le reste de sauce additionnée de 50 ml (¼ tasse) d'eau dans une petite casserole, à feu moyen-doux pendant 10 min, en remuant de temps en temps. ■ **L**aisser reposer les filets 2 à 3 min à la sortie du four. Découper en tranches minces, assaisonner au goût et napper d'un peu de sauce. ■ **S**ervir accompagné de couscous, de bok choy et de pommes sautés dans un peu d'huile.

Le porc est plus maigre que jamais ! Depuis 1987, il a perdu 3,9 g de matières grasses par portion de 100 g (3 ½ oz). Il représente donc seulement 2 % de notre consommation totale de gras.

Chaque portion fournit 261 calories, 28 g de protéines, 30 g de glucides et 3 g de matières grasses.

PRÉPARATION : 10 min | CUISSON : 55 min à 1 h 15 | RENDEMENT : 4 portions

Carré de porc aux pignons et au Cointreau

30 ml (2 c. à soupe)	Beurre
30 ml (2 c. à soupe)	Zeste d'orange
30 ml (2 c. à soupe)	Moutarde à l'ancienne
Au goût	Sel et poivre frais moulu
1 kg (2 lb)	Carré de porc du Québec paré (demander au boucher de fendre l'os entre les côtes)
500 ml (2 tasses)	Eau (plus, si nécessaire)
200 ml (³/₄ tasse)	Cointreau (ou Grand Marnier)
20 ml (4 c. à thé)	Fécule de maïs, délayée dans 30 ml (2 c. à soupe) d'eau
50 ml (¹/₄ tasse)	Pignons grillés
30 ml (2 c. à soupe)	Feuilles de thym frais

■ **P**réchauffer le four à 160 °C (325 °F). Mélanger le beurre, le zeste d'orange et la moutarde. Poivrer au goût. Enrober le carré de ce mélange. Insérer un thermomètre à viande au cœur de la chair et déposer le rôti dans une rôtissoire. Ajouter 125 ml (¹/₂ tasse) d'eau. ■ **F**aire cuire pendant 40 à 60 min ou jusqu'à ce que le thermomètre indique 70 °C (160 °F). ■ **A**jouter le reste de l'eau à mi-cuisson. Avant de tailler le carré de porc, le laisser reposer dans une assiette pendant 10 à 15 min, recouvert lâchement de papier d'aluminium.

▶

 Entre-temps, ajouter un peu d'eau dans la rôtissoire jusqu'à l'obtention d'environ 200 ml ($^3/_4$ tasse) de liquide. Ajouter le Cointreau (ou le Grand Marnier) et porter à ébullition à feu moyen-doux en grattant le fond avec une cuillère en bois. En remuant, incorporer la fécule délayée et laisser épaissir le tout doucement. Retirer du feu, incorporer les pignons, le thym et assaisonner au goût. Trancher le carré entre les côtes et faire le service dans des assiettes préchauffées et nappées de sauce. **A**ccompagner de patates douces en purée et de choux de Bruxelles cuits à la vapeur.

Une viande blanche comme le porc sera davantage mise en valeur par un vin rouge souple, peu tannique et qui comporte une saveur dominante de fruits.

Chaque portion fournit 483 calories, 37 g de protéines, 26 g de glucides et 17 g de matières grasses.

PRÉPARATION : 15 min | CUISSON : 6 à 12 min | RENDEMENT : 4 portions

Côtelettes papillons aux pruneaux

375 ml (1 ½ tasse)	Pruneaux secs dénoyautés
200 ml (¾ tasse)	Vin rouge
30 ml (2 c. à soupe)	Sucre
45 ml (3 c. à soupe)	Graines d'anis (fenouil)
1	Bâton de cannelle
75 ml (⅓ tasse)	Farine
4 x 150 g (5 oz)	Côtelettes papillons de porc du Québec de 2 cm (¾ po) d'épaisseur
15 ml (1 c. à soupe)	Huile d'olive
Au goût	Sel et poivre frais moulu

■ **D**ans une casserole à fond épais, faire cuire les pruneaux dans le vin rouge avec le sucre, l'anis et la cannelle. Laisser mijoter pendant 5 à 10 min. Retirer du feu et couvrir. ■ **E**nfariner les côtelettes de porc et les secouer pour enlever l'excédent de farine. Dans une poêle, faire chauffer l'huile à feu moyen et cuire les côtelettes pendant 6 à 12 min. Les retourner une fois à mi-cuisson. Assaisonner au goût. Les retirer, les couvrir et réserver au chaud. ■ **R**etirer ensuite les pruneaux du jus de cuisson. Au moment de servir, disposer chaque côtelette au centre d'une assiette et l'entourer de pruneaux. ■ **S**ervir avec des courgettes, des carottes et des pois mange-tout.

Combattez la fatigue de l'hiver grâce au fer, essentiel au maintien d'un bon niveau d'énergie. Le porc en est une source savoureuse.

Chaque portion fournit 599 calories, 38 g de protéines, 87 g de glucides et 10 g de matières grasses.

117

Qu'est-ce qu'on mange ?

Pitas de blé entier au porc haché
(recette p. 87)

Lanières de poivrons jaunes et oranges avec trempette au yogourt et à la ciboulette

Fondue au caramel servie avec des morceaux de fruits frais et des guimauves

Blanquette de porc cari-coco
(recette p. 97)

Riz basmati

Pouding au tapioca et aux canneberges séchées

Côtelettes au gruyère fumé
(recette p. 101)

Papillote de pommes de terre et poivrons

Trempette de melon au yogourt
Taillez des boules ou des cubes de melon et enfilez-les sur des brochettes en bois. Servez avec une trempette faite de yogourt nature et de miel.

Filets de porc aux cinq joyaux
(recette p. 113)

Mélange de bok choy et de pommes sautés

Couscous

Baba exotique et verre de lait
Quartiers de clémentine servis sur un petit gâteau éponge parfumé au rhum (ou à l'essence de rhum).

Menus de fête

Kir des neiges
Avec un ruban doré, nouez une brindille de sapin au pied de vos flûtes. Déposez une canneberge au fond de chacune. Versez du mousseux et une larme de liqueur de cassis du Québec.

Canapés de concombre et de crabe
Avec les dents d'une fourchette, rayez la peau d'un concombre. Taillez des tranches ovales de 1 cm (½ po) d'épaisseur. Garnissez de chair de crabe à la mayonnaise poivrée et terminez par quelques câpres.

Canapés de porc farcis à l'abricot
(recette p. 104)
Émerveillez vos invités grâce à ces petits chefs-d'œuvre.

Médaillons de porc, sauce aux canneberges et au porto
(recette p. 107)
De tendres morceaux de filet de porc dans une sauce fine. Quelques minutes suffisent pour préparer ce plat des dieux!

Pommes de terre mousseline
et
Haricots au beurre et zeste de citron

Pavlova de la nuit de Noël
Dans une couronne de meringue, déposez un mélange de crème fouettée et de fruits : quartiers de clémentine, bleuets, framboises et kiwis. Décorez de menthe fraîche et saupoudrez de sucre glace.

Vin de glace

Champagne

Barquettes de pleurotes au thym

Faites sauter des pleurotes en cubes dans du beurre doux avec du cognac, du poivre et du thym frais. Présentez-les dans de petites abaisses de pâte feuilletée cuite.

Canapés de porc farcis à la tangerine et au chèvre
(recette p. 105)

De succulentes bouchées pleines de fraîcheur. Elles réussiront à mettre l'eau à la bouche à vos invités!

Salade des Mages

Mêlez feuilles de laitue Boston, salade frisée et mâche. Éclairez le tout d'étoiles de carambole et de pépins de grenade. Servez avec une vinaigrette royale: huile de noisette, vinaigre d'érable et poudre de cinq-épices.

Rôti de longe de porc au caramel de pomme et au romarin
(recette p. 83)

Un tendre rôti désossé, à la croûte caramélisée. La cuisson permet d'obtenir la confiture d'oignons qui l'accompagnera!

Légumes rôtis

Au four chaud, mettez à rôtir des morceaux de panais, de carotte, de pomme de terre et de petit navet, badigeonnés d'un peu d'huile d'olive et saupoudrés de sel de mer.

Mignardises

Servez des truffes au chocolat, des morceaux de gâteau aux fruits et des bouchées de massepain. Dans un autre plateau, disposez des tranches d'orange, des fraises et des raisins verts sans pépins.

printemps

Ah! le printemps! La nature encore fragile renaît avec une vigueur impressionnante, les oiseaux chantent et les jours rallongent. Cette saison remplie de promesses entrouvre timidement sa porte, malgré les sursauts de l'hiver. D'affriolantes odeurs de cabane à sucre viennent nous chatouiller les narines et nous aiguiser l'appétit. Le palais s'éveille, les menus s'allègent, la cuisine est envahie par la lumière et les aliments rapportés du marché sont des plus appétissants. Faites la fête aux tulipes et aux jonquilles, en attendant les délices à venir : asperges, têtes de violon et fines herbes. Mettez de la fraîcheur à votre menu printanier en cuisinant des petits plats de porc savoureux et vivifiants!

PRÉPARATION : 30 min | CUISSON : 5 à 10 min | RENDEMENT : 4 portions

Porc-burgers à l'asperge

500 g (1 lb)	Porc du Québec haché maigre
30 ml (2 c. à soupe)	Ciboulette fraîche hachée
1	Gousse d'ail écrasée
1	Œuf
4	Asperges fraîches cuites al dente
Au goût	Sel et poivre frais moulu
4	Petits pains allongés
2	Tomates fraîches taillées en dés
Au goût	Sauce tartare (du commerce)

■ **M**élanger le porc avec la ciboulette, l'ail et l'œuf. Enfiler chaque asperge sur une brochette en bois imbibée d'eau et façonner le mélange tout autour, en forme de saucisse. Poivrer au goût. ■ **F**aire griller à chaleur moyenne sur le barbecue, sous le gril du four ou dans une poêle-gril pendant environ 5 à 10 min. À mi-cuisson, retourner les brochettes à l'aide de pinces. Saler à la fin de la cuisson. ■ **R**etirer les brochettes de bois et placer la viande dans les pains allongés, garnis de dés de tomate et de sauce tartare. ■ **A**ccompagner d'une salade de carottes râpées et de radis roses.

■ **Variante :** Remplacer la ciboulette par de l'estragon frais haché et la sauce tartare par de la mayonnaise citronnée : à 90 ml (6 c. à soupe) de mayonnaise, ajouter le zeste râpé d'un citron et 15 ml (1 c. à soupe) de jus de citron.

Les asperges surgelées conviennent également à cette recette. Une fois décongelées, roulez-les dans de la chapelure pour que la viande y adhère mieux.

Chaque portion fournit 417 calories, 27 g de protéines, 23 g de glucides et 24 g de matières grasses.

PRÉPARATION : 10 min | CUISSON : 8 à 10 min | RENDEMENT : 4 portions

Salade de vermicelles et de porc teriyaki

125 ml (¹/₂ tasse)	*Sauce teriyaki*
5 à 10 ml (1 à 2 c. à thé)	*Huile de sésame*
50 ml (¹/₄ tasse)	*Miel liquide*
1	*Citron (jus et zeste râpé)*
500 g (1 lb)	*Languettes (fesse) de porc du Québec de 1 cm (¹/₂ po) de largeur et de 12 à 15 cm (5 à 6 po) de longueur*
24	*Morceaux d'oignons verts*
500 ml (2 tasses)	*Vermicelles de riz cuits, refroidis*
250 ml (1 tasse)	*Chou chinois émincé*
75 ml (¹/₃ tasse)	*Carottes râpées*
75 ml (¹/₃ tasse)	*Épinards frais déchiquetés*
20 ml (4 c. à thé)	*Graines de sésame rôties*
20 ml (4 c. à thé)	*Menthe fraîche ciselée*

■ **M**élanger les quatre premiers ingrédients. Réserver 50 ml (¹/₄ tasse) de ce mélange au réfrigérateur et incorporer les languettes de porc dans le reste du mélange. Couvrir et laisser mariner au réfrigérateur pendant au moins 2 h (maximum 12 h). ■ **E**nfiler les languettes et les oignons verts sur huit brochettes. Griller à chaleur moyenne sur le barbecue, sous le gril du four ou dans une poêle-gril pendant environ 8 à 10 min. À mi-cuisson, retourner les brochettes avec une pince et les badigeonner de marinade. ■ **S**ervir sur les vermicelles et garnir de crudités, de graines de sésame et de menthe. Arroser le tout de marinade.

La vitamine B12 compte parmi les substances alimentaires absolument essentielles à la vie. Une portion de 100 g (3 ¹/₂ oz) de porc cuit procure 38 % des besoins quotidiens de cette vitamine, un apport très important.

Chaque portion fournit 313 calories, 29 g de protéines, 32 g de glucides et 8 g de matières grasses.

Languettes de porc sautées aux légumes

1	*Poivron rouge coupé en dés*
250 ml (1 tasse)	*Brocoli en petits bouquets*
1	*Petit oignon coupé en morceaux*
200 ml (¾ tasse)	*Carottes coupées en allumettes*
15 ml (1 c. à soupe)	*Huile d'olive*
1	*Gousse d'ail hachée finement*
500 g (1 lb)	*Languettes (fesse) de porc du Québec*
2 ml (½ c. à thé)	*Gingembre moulu*
Au goût	*Poudre de Chili*
Au goût	*Sel et poivre frais moulu*
10 ml (2 c. à thé)	*Huile de sésame*

Blanchir les légumes dans de l'eau bouillante salée pendant 1 min. ■ **F**aire chauffer l'huile d'olive à feu moyen dans une poêle à surface antiadhésive. Faire sauter l'ail et les languettes de porc pendant 3 min. Saupoudrer de gingembre et de poudre de Chili. Ajouter les légumes égouttés aux languettes. Faire cuire pendant 2 min. Assaisonner au goût. ■ **A**vant de servir, parfumer d'huile de sésame et bien mélanger. ■ **S**ervir avec des nouilles aux œufs.

 Pour faire sauter les languettes, utilisez une grande poêle ou un wok bien chaud, mais pas trop. Pour garder le porc tendre, il est conseillé de le cuire à feu moyen.

 Chaque portion fournit 357 calories, 35 g de protéines, 17 g de glucides et 17 g de matières grasses.

PRÉPARATION : 15 min | CUISSON : 15 min | RENDEMENT : 4 portions

Escalopes de porc, crème béarnaise à l'orange

1	*Orange*
5 ml (1 c. à thé)	*Poivre noir frais moulu*
30 ml (2 c. à soupe)	*Estragon frais haché fin*
4 x 125 g (4 oz)	*Escalopes de porc du Québec de 6 mm ($^1/_4$ po) d'épaisseur*
15 ml (1 c. à soupe)	*Huile d'olive*
2	*Échalotes (ou oignons verts) hachées*
125 ml ($^1/_2$ tasse)	*Vin blanc*
125 ml ($^1/_2$ tasse)	*Crème à 15 %*
Au goût	*Sel et poivre frais moulu*
Pour garnir	*Feuilles de menthe*

■ **P**rélever le zeste d'orange, le tailler en minces filaments et réserver. Presser l'orange et réserver le jus dans un bol. ■ **M**élanger la moitié du zeste avec le poivre et l'estragon, puis en recouvrir les escalopes. Envelopper le tout dans une pellicule plastique et mettre au réfrigérateur pendant 2 h. ■ **F**aire chauffer l'huile dans une grande poêle à feu moyen. Faire revenir les escalopes 2 min de chaque côté. Les retirer, les couvrir et réserver au chaud. ■ **F**aire revenir les échalotes dans la même poêle. Ajouter le jus d'orange et le vin blanc, puis porter le tout à ébullition à feu vif en grattant le fond avec une cuillère en bois. Réduire le liquide à un tiers de son volume, puis incorporer la crème en remuant. Laisser réduire encore un peu en remuant. Rectifier l'assaisonnement au goût. ■ **S**ervir cette sauce avec les escalopes, décorées du reste de zeste et des feuilles de menthe. ■ **A**ccompagner de riz aux amandes et d'épinards.

Pour une version asiatique de ce plat, remplacez le zeste d'orange par du zeste de limette et l'estragon par de la coriandre fraîche.

Chaque portion fournit 370 calories, 35 g de protéines, 10 g de glucides et 21 g de matières grasses.

PRÉPARATION : 10 min | CUISSON : 8 à 10 min | RENDEMENT : 4 portions

Croquettes de porc à la chinoise

500 g (1 lb)	Porc du Québec haché maigre
75 ml (¹/₃ tasse)	Sauce aux prunes (du commerce)
15 ml (1 c. à soupe)	Gingembre frais râpé
3	Oignons verts finement hachés
Au goût	Sel et poivre frais moulu
50 ml (¹/₄ tasse)	Graines de sésame

■ **M**élanger le porc avec la sauce aux prunes, le gingembre et les oignons verts. Poivrer au goût. Façonner quatre galettes de 1 cm (¹/₂ po) d'épaisseur et les enrober de graines de sésame. ■ **F**aire griller sous le gril du four préchauffé au maximum (garder la porte du four légèrement entrouverte) ou dans une poêle-gril à feu moyen-élevé pendant 8 à 10 min. À mi-cuisson, retourner une fois à l'aide d'une spatule. Saler à la fin de la cuisson et laisser reposer pendant 2 min. ■ **S**ervir les croquettes bien cuites accompagnées de légumes sautés (au choix, céleri, brocoli, carottes, poivrons, oignons, champignons, germes de haricot, mini épis de maïs, châtaignes d'eau) et de riz cuit à la vapeur.

■ **Variante :** Savourer les galettes dans des pains kaiser grillés, garnis d'épinards frais et de sauce aux prunes.

 Bien des gens mangent leur bifteck saignant ou leur côtelette rosée, mais cette cuisson est déconseillée dans le cas de la viande hachée. Il faut en éliminer toute trace de sang : on mange donc son porc-burger bien cuit.

 Chaque portion fournit 355 calories, 23 g de protéines, 10 g de glucides et 24 g de matières grasses.

PRÉPARATION : 10 min | CUISSON : 12 à 18 min | RENDEMENT : 4 portions

Filets de porc des Caraïbes

45 ml (3 c. à soupe)	Huile de canola
2	Grosses gousses d'ail écrasées
10 ml (2 c. à thé)	Coriandre moulue
1 ml (¼ c. à thé)	Sauce Tabasco (facultatif)
2 x 250 g (½ lb)	Filets de porc du Québec
30 ml (2 c. à soupe)	Grains de poivre noir concassés
Au goût	Sel
8 à 12	Grandes feuilles de laitue frisée rouge
2	Avocats pelés et tranchés
1	Mangue pelée et tranchée
1	Lime (jus seulement)

■ **M**élanger 15 ml (1 c. à soupe) d'huile avec l'ail, la coriandre et la sauce Tabasco. En frotter les filets de porc. Si désiré, laisser les saveurs imprégner la viande en la gardant au réfrigérateur pendant 2 h. ■ **E**nrober les filets de poivre concassé. Griller à chaleur moyenne sur le barbecue, sous le gril du four ou dans une poêle-gril pendant environ 12 à 18 min. À mi-cuisson, retourner les filets à l'aide de pinces. Saler au goût et laisser reposer 2 à 3 min avant de découper. ■ **A**u moment du service, placer de fines tranches de filet sur la laitue garnie d'avocat et de mangue. Arroser du reste de l'huile mélangé au jus de lime. Assaisonner au goût.

Le porc est la meilleure source alimentaire de vitamine B1, une excellente source de B3 et de B12, ainsi qu'une bonne source de B6, vitamines essentielles à l'utilisation de l'énergie contenue dans les aliments.

Chaque portion fournit 376 calories, 32 g de protéines, 16 g de glucides et 21 g de matières grasses.

| PRÉPARATION : 15 min | CUISSON : 12 à 15 min | RENDEMENT : 4 portions |

Escalopes de porc au fromage de chèvre

30 ml (2 c. à soupe)	Huile d'olive
1	Oignon tranché mince
1	Poivron rouge taillé en lamelles
1	Petite courgette tranchée mince
500 ml (2 tasses)	Champignons café frais, coupés en quatre
125 ml (¹/₂ tasse)	Farine
4 x 125 g (4 oz)	Escalopes de porc du Québec de 6 mm (¹/₄ po) d'épaisseur, taillées en morceaux
50 ml (¹/₄ tasse)	Vin rouge sec (ou bouillon de légumes)
90 g (3 oz)	Fromage de chèvre aux fines herbes
375 ml (1 ¹/₂ tasse)	Bouillon de légumes chaud
Au goût	Sel et poivre frais moulu

■ **F**aire chauffer la moitié de l'huile à feu moyen-élevé dans une grande poêle à surface antiadhésive. Faire sauter les légumes pendant 4 min. Les retirer et réserver. ■ **D**ans la même poêle, faire chauffer le reste de l'huile à feu moyen. Enfariner les morceaux de porc et les secouer pour enlever

▶

l'excédent de farine. Les faire revenir pendant 2 à 3 min, puis les retirer, couvrir et réserver au chaud. ■ **V**erser le vin rouge dans la poêle et porter à ébullition à feu vif en raclant le fond à l'aide d'une cuillère en bois. Faire réduire le liquide de moitié. Incorporer le fromage de chèvre peu à peu, en alternant avec le bouillon chaud, et bien remuer jusqu'à ce que le fromage soit fondu. Ajouter les légumes et les lanières de porc. Réchauffer pendant 1 min et assaisonner au goût. ■ **S**ervir avec des choux de Bruxelles bien frais, cuits à la vapeur, et décorés de tomates confites dans l'huile et émincées finement, ainsi qu'avec des pommes de terre rôties.

Rappelez-vous qu'une poêle à fond épais conservera davantage la chaleur qu'une poêle à fond mince. Ainsi, lorsque vous ajoutez des aliments, la variation de température est moins importante et les aliments sont saisis plus rapidement.

Chaque portion fournit 402 calories, 35 g de protéines, 21 g de glucides et 19 g de matières grasses.

PRÉPARATION : 20 min | CUISSON : 6 à 8 min | RENDEMENT : 4 portions

Porc-burgers à la moutarde de Dijon

500 g (1 lb)	Porc du Québec haché maigre
50 ml (¼ tasse)	Oignons hachés finement
50 ml (¼ tasse)	Tomates séchées hachées
50 ml (¼ tasse)	Cheddar râpé
75 ml (⅓ tasse)	Moutarde de Dijon
50 ml (¼ tasse)	Ciboulette fraîche hachée
Au goût	Sel et poivre frais moulu
4	Pains à hamburgers grillés
2	Tomates tranchées
4	Feuilles de laitue

■ **M**élanger le porc, les oignons, les tomates séchées, le cheddar, 45 ml (3 c. à soupe) de moutarde de Dijon et la ciboulette. ■ **F**açonner quatre galettes de 1 cm (½ po) d'épaisseur et poivrer au goût. ■ **G**riller à chaleur moyenne sur le barbecue, sous le gril du four préchauffé au maximum ou dans une poêle-gril à feu moyen-élevé pendant 6 à 8 min. À mi-cuisson, retourner les galettes à l'aide d'une spatule. Saler à la fin de la cuisson. ■ **P**lacer les galettes dans les pains garnis de tomates, d'une feuille de laitue et de moutarde de Dijon. ■ **A**ccompagner de frites ou de pommes de terre au four.

Manger de la viande en toute sécurité ne signifie pas manger des porc-burgers secs. Il doit rester du jus. Dès que celui-ci devient clair, il est temps de passer à table !

Chaque portion fournit 427 calories, 27 g de protéines, 28 g de glucides et 24 g de matières grasses.

PRÉPARATION : 15 min | CUISSON : 10 à 12 min | RENDEMENT : 4 portions

Linguines au porc, aux artichauts et aux olives

250 g (¹/₂ lb)	Linguines (pâtes sèches)
15 ml (1 c. à soupe)	Huile d'olive
1 à 2	Gousses d'ail écrasées
60 g (2 oz)	Prosciutto (ou jambon fumé tranché) haché
375 g (³/₄ lb)	Porc du Québec haché maigre
12	Olives noires Calamata entières
1	Citron ou orange (jus et zeste râpé)
1 boîte de 540 ml (19 oz)	Cœurs d'artichaut, égouttés et coupés en quatre (réserver 50 ml ou ¹/₄ tasse de liquide)
Au goût	Sel et poivre frais moulu
45 ml (3 c. à soupe)	Persil italien frais haché

■ **F**aire cuire les linguines *al dente*. ■ **E**ntre-temps, faire chauffer l'huile à feu moyen dans une grande poêle à surface antiadhésive. Faire revenir l'ail, le prosciutto et le porc haché pendant 6 à 7 min. ■ **I**ncorporer les olives, le jus et le zeste de citron (ou d'orange), les cœurs d'artichaut et le liquide réservé. Réchauffer pendant 1 min en remuant. ■ **É**goutter les linguines et les remettre dans la casserole. Incorporer la préparation de porc et assaisonner au goût. Garnir de persil frais haché. ■ **S**ervir accompagné d'une salade croquante de laitue romaine et de poivrons rouges et jaunes.

Pour la boîte à lunch, incorporez la garniture de viande à des fusilis cuits et garnissez de tomates cerises tranchées et de persil frais haché. Relevez d'une vinaigrette au vinaigre de vin et à l'huile d'olive.

Chaque portion fournit 549 calories, 30 g de protéines, 57 g de glucides et 23 g de matières grasses.

Côtelettes papillons à l'érable

15 ml (1 c. à soupe)	*Huile d'olive*
4 x 150 g (5 oz)	*Côtelettes papillons de porc du Québec désossées (coupe du centre)*
Au goût	*Sel et poivre frais moulu*
125 ml (¹/₂ tasse)	*Sirop d'érable*
1 sachet de 34 g (1 oz)	*Sauce demi-glace*

■ **F**aire chauffer l'huile à feu moyen-élevé dans une poêle à surface anti-adhésive. Faire cuire les côtelettes papillons pendant 6 à 12 min. Les retourner une fois à mi-cuisson. Saler à la fin de la cuisson. Retirer la viande ; couvrir et réserver au chaud. ■ **D**églacer la poêle au sirop d'érable. Incorporer la demi-glace préparée et remettre les côtelettes dans la sauce. Réchauffer et assaisonner au goût. ■ **S**ervir accompagné de légumes verts et de pommes de terre en purée.

 Tous les repas, petits ou grands, sont l'occasion d'unir vin et porc avec bonheur. Comme le porc se marie bien à toutes les sauces, on pourra soit le déguster avec un vin léger, soit le savourer avec un vin plus corsé.

 Chaque portion fournit 400 calories, 34 g de protéines, 29 g de glucides et 16 g de matières grasses.

PRÉPARATION : 10 min | CUISSON : 5 min | RENDEMENT : 4 portions

Noisettes de porc aux pommes et à l'érable

200 ml (³/₄ tasse)	Sirop d'érable
50 ml (¹/₄ tasse)	Eau
1 ml (¹/₄ c. à thé)	Cannelle moulue
2	Pommes pelées, évidées et coupées en cubes
75 ml (¹/₃ tasse)	Farine
500 g (1 lb)	Filets de porc du Québec coupés en noisettes
30 ml (2 c. à soupe)	Beurre
Au goût	Sel et poivre frais moulu
50 ml (¹/₄ tasse)	Sauce brune maison (ou du commerce)
30 ml (2 c. à soupe)	Crème à 35 %

■ **D**ans une petite casserole, mélanger le sirop d'érable, l'eau, la cannelle et les cubes de pomme. Porter à ébullition et pocher quelques minutes jusqu'à ce que les pommes soient cuites, mais encore fermes. ■ **E**ntre-temps, enfariner les noisettes de porc et les secouer pour enlever l'excédent de farine. Faire chauffer le beurre à feu moyen dans une poêle à surface anti-adhésive. Faire sauter le porc pendant 5 min. Assaisonner au goût. Retirer la viande de la poêle, couvrir et réserver au chaud. ■ **É**goutter les pommes et déglacer la poêle à la sauce au sirop d'érable. Incorporer la sauce brune et la crème. Laisser épaissir à feu doux en remuant. ■ **D**époser trois noisettes sur chaque assiette, napper de sauce et accompagner de cubes de pomme.

Quel plaisir de pouvoir se sucrer le bec tout en se rassasiant d'une bonne source de protéines comme le porc ! Les protéines donnent en effet la sensation d'avoir assez mangé. Voilà une bonne façon de réduire les portions !

Chaque portion fournit 488 calories, 31 g de protéines, 64 g de glucides et 12 g de matières grasses.

PRÉPARATION : 15 min | CUISSON : 10 à 12 min | RENDEMENT : 4 portions

Côtelettes à l'aigre-doux de pommes

4	Côtelettes de porc du Québec (avec os) de 2 cm (³/₄ po) d'épaisseur
2 à 3	Gousses d'ail taillées en allumettes
30 ml (2 c. à soupe)	Thym séché
30 ml (2 c. à soupe)	Huile végétale
2	Pommes rouges épépinées, taillées en fines lamelles
25 ml (1 ¹/₂ c. à soupe)	Vinaigre balsamique (ou vinaigre de cidre)
125 ml (¹/₂ tasse)	Sirop de pomme
1 pincée	Cannelle moulue
Au goût	Sel et poivre frais moulu

■ **P**ratiquer de petites incisions un peu partout au cœur des côtelettes et y insérer l'ail en allumettes. Faire adhérer le thym séché sur toute la surface des côtelettes. ■ **F**aire chauffer l'huile dans une poêle à feu moyen-vif. Faire dorer légèrement les côtelettes des deux côtés. Dès que la viande est colorée, étaler les lamelles de pomme sur le dessus, puis verser le vinaigre balsamique et le sirop de pomme. Saupoudrer de cannelle, assaisonner au goût et couvrir. Dès que la sauce bouillonne, réduire à feu moyen-doux et laisser cuire 5 à 6 min. ■ **R**etirer du feu et laisser reposer à découvert 2 à 3 min avant de servir. ■ **S**ervir avec un légume à feuilles comme des épinards à peine attendris ou des bettes à carde braisées : leur amertume complétera à merveille le goût aigre-doux des côtelettes.

 On peut aussi terminer la cuisson des côtelettes avec les pommes au four, à 160 °C (325 °F). Conserver alors le même temps de cuisson, après avoir amené la sauce à ébullition sur le feu.

 Chaque portion fournit 433 calories, 37 g de protéines, 42 g de glucides et 13 g de matières grasses.

PRÉPARATION : 20 min | CUISSON : 10 à 12 min | RENDEMENT : 4 portions

Sauté de porc en ratatouille

15 ml (1 c. à soupe)	Huile d'olive
4 x 150 g (5 oz)	Côtelettes de porc du Québec (milieu de longe) désossées de 2 cm (³⁄₄ po) d'épaisseur, taillées en lanières dans le sens de la longueur
2 à 4	Gousses d'ail écrasées
1 de chacun	Petite aubergine, poivron vert, petite courgette et oignon grossièrement hachés
3	Tomates fraîches coupées en cubes
45 ml (3 c. à soupe)	Origan frais effeuillé ou 10 ml (2 c. à thé) d'origan séché
Au goût	Sel et poivre noir frais moulu
Au goût	Olives noires Calamata dénoyautées et hachées

■ **F**aire chauffer l'huile à feu moyen dans une grande poêle à surface anti-adhésive. Faire revenir le porc pendant 2 à 3 min. Retirer la viande, la couvrir et réserver. ■ **D**ans la même poêle, faire sauter l'ail, l'aubergine, le poivron, la courgette et l'oignon pendant 7 à 8 min. Incorporer les tomates, l'origan et le porc, puis réchauffer pendant 1 min. Assaisonner au goût. Garnir d'olives noires, si désiré, et servir avec des petits pains de campagne et une salade romaine.

■ **Variante :** Servir le sauté en salade tiède sur de la laitue romaine et garnir d'olives noires en rondelles et de croûtons à l'ail. Rehausser d'une vinaigrette à l'italienne du commerce.

 Adopter une alimentation équilibrée ne signifie pas manger des aliments sans saveur. Vous pouvez diminuer la quantité de beurre ou d'huile dans les recettes en utilisant une poêle à surface antiadhésive ou un wok.

 Chaque portion fournit 298 calories, 37 g de protéines, 17 g de glucides et 10 g de matières grasses.

PRÉPARATION : 10 min | CUISSON : 10 à 17 min | RENDEMENT : 4 portions

Tournedos de porc, sauce à la tomate et à la moutarde

30 ml (2 c. à soupe)	Huile d'olive
4	Gousses d'ail hachées
4	Tomates coupées en gros dés
125 ml (½ tasse)	Cocktail de tomates et palourdes (Clamato)
Au goût	Sel et poivre noir concassé
30 ml (2 c. à soupe)	Moutarde à l'estragon
30 ml (2 c. à soupe)	Zeste d'orange râpé
4 x 150 g (5 oz)	Tournedos de longe de porc du Québec de 2,5 cm (1 po) d'épaisseur

■ **F**aire chauffer l'huile d'olive dans une poêle. Faire revenir l'ail 1 min, puis ajouter les tomates et le cocktail de tomates et palourdes. Poursuivre la cuisson pendant 2 à 3 min. Assaisonner au goût et incorporer la moutarde et le zeste d'orange. Couvrir pour garder au chaud. ■ **H**uiler légèrement les tournedos, puis les faire griller dans une poêle-gril, sous le gril du four ou sur le barbecue, à chaleur moyenne, pendant 6 à 12 min. Les retourner une à deux fois en cours de cuisson à l'aide de pinces. ■ **S**ervir les tournedos nappés de la sauce à la tomate. ■ **A**ccompagner de haricots verts frais et d'une belle miche de pain.

La longe est une partie tendre, charnue et maigre qui couvre le dos du porc. On en tire de très nombreuses coupes, petites et grosses, dont les tournedos.

Chaque portion fournit 305 calories, 30 g de protéines, 11 g de glucides et 16 g de matières grasses.

Jambon à l'érable et à l'ananas

¹/₂	*Jambon avec ou sans os*
20 à 30	*Clous de girofle*
1 boîte de 398 ml (14 oz)	*Tranches d'ananas dans leur jus, égouttées (réserver le jus)*
1 boîte de 540 ml (19 oz)	*Sirop d'érable*

▪ **D**époser le jambon dans une grande casserole et ajouter suffisamment d'eau pour le couvrir. Amener à ébullition à feu moyen. Laisser mijoter à feu doux pendant 30 min. ▪ **P**réchauffer le four à 140 °C (275 °F). ▪ **É**goutter le jambon, le piquer de clous de girofle, puis le déposer dans un plat allant au four. Le recouvrir de tranches d'ananas et ajouter le sirop d'érable et le jus d'ananas réservé. Faire cuire au four, à découvert, pendant 90 min, en arrosant le jambon du mélange de sirop et de jus d'ananas à deux ou trois reprises.

▪ **Variante :** On peut remplacer les ananas par des pêches en conserve dans leur jus.

Le fait que le porc soit un gros animal signifie-t-il que sa viande soit grasse ? Pas du tout ! Le porc d'aujourd'hui n'est pas une viande grasse, mais bien l'une des plus maigres qui soient avec moins de 10 % de matières grasses, en moyenne.

Chaque portion fournit 460 calories, 22 g de protéines, 56 g de glucides et 17 g de matières grasses.

PRÉPARATION : 10 min | CUISSON : 15 min | RENDEMENT : 4 portions

Filets de porc crémeux au parfum de romarin

15 ml (1 c. à soupe)	Huile d'olive
2 x 250 g (½ lb)	Filets de porc du Québec, taillés en cubes de 1 ½ cm (¾ po)
3	Échalotes hachées finement
2	Carottes tranchées finement en biais
2	Branches de céleri tranchées finement en biais
5 ml (1 c. à thé)	Romarin séché
2	Gousses d'ail hachées finement
75 ml (⅓ tasse)	Vin blanc sec
375 ml (1 ½ tasse)	Crème à 15 %
Au goût	Sel et poivre noir frais moulu
Au goût	Persil italien frais haché

■ **F**aire chauffer l'huile à feu moyen dans une grande poêle à surface anti-adhésive. Faire revenir les cubes de porc pendant 3 à 4 min. Retirer la viande, la couvrir et réserver. ■ **D**ans la même poêle, faire sauter les échalotes, les carottes et le céleri pendant 5 min. Ajouter les cubes de porc, assaisonner de romarin et d'ail, puis poursuivre la cuisson en remuant, pendant environ 5 min. Verser le vin blanc, remuer en grattant bien le fond pour déglacer et faire réduire du tiers. ■ **I**ncorporer la crème et faire chauffer à feu moyen 3 à 4 min ou jusqu'à ce que la sauce ait légèrement épaissi. Assaisonner au goût. Servir sur un nid de riz et décorer de persil frais.

Mariez le porc avec des sauces de votre invention. Gardez à portée de la main vin, bouillon, jus de fruits ou crème légère que vous ferez réduire. Ajoutez-y des herbes, assaisonnements, purées de légumes ou de fruits, selon l'inspiration du moment.

Chaque portion fournit 378 calories, 33 g de protéines, 10 g de glucides et 21 g de matières grasses.

PRÉPARATION : 15 min | CUISSON : 8 à 10 min | RENDEMENT : 4 portions

Escalopes de porc farcies aux légumes, sauce au camembert

60 ml (4 c. à soupe)	*Huile d'olive*
2	*Carottes coupées en allumettes*
1	*Courgette moyenne, coupée en allumettes*
4 x 125 g (4 oz)	*Escalopes de porc du Québec de 6 mm (¼ po) d'épaisseur*
Au goût	*Sel et poivre frais moulu*
250 ml (1 tasse)	*Champignons frais tranchés*
125 ml (½ tasse)	*Vin blanc sec*
125 ml (½ tasse)	*Bouillon de légumes ou de volaille*
30 ml (2 c. à soupe)	*Crème à 15 %*
50 ml (¼ tasse)	*Camembert en morceaux*
10 ml (2 c. à thé)	*Fécule de maïs délayée dans un peu de bouillon*

■ **F**aire chauffer la moitié de l'huile à feu moyen-élevé dans une poêle à surface antiadhésive. Faire sauter les carottes et la courgette pendant 3 min. Répartir cette préparation au centre de chaque escalope. Rouler et fermer avec des cure-dents. ■ **E**nfariner les escalopes roulées et les secouer pour enlever l'excédent de farine. Dans la poêle, faire chauffer le reste de l'huile à feu moyen. Faire cuire les escalopes 8 à 10 min, puis les retirer, les couvrir et réserver au chaud. Saler et poivrer au goût. ■ **D**ans la même poêle, faire sauter les champignons pendant 2 min. Déglacer au vin et au bouillon. Ajouter la crème et le fromage, puis remuer pour faire fondre. Incorporer la fécule délayée, puis laisser épaissir à feu doux. Napper les escalopes de cette sauce. ■ **A**ccompagner d'asperges.

Farcies de bâtonnets de légumes de votre choix ou de farce à base de fruits, de noix ou d'herbes, les escalopes de porc se transformeront en véritables chefs-d'œuvre et sauront toujours impressionner vos invités !

Chaque portion fournit 246 calories, 33 g de protéines, 4 g de glucides et 10 g de matières grasses.

PRÉPARATION : 10 min | CUISSON : 55 à 60 min | RENDEMENT : 4 portions

Mijoté de porc à la moutarde et aux poires

15 ml (1 c. à soupe)	*Huile de canola*
500 g (1 lb)	*Cubes à ragoût (épaule) de porc du Québec*
3	*Poireaux coupés en morceaux*
375 ml (1 ½ tasse)	*Bouillon de légumes ou de volaille*
30 ml (2 c. à soupe)	*Moutarde à l'ancienne*
125 ml (½ tasse)	*Crème champêtre à 15 %*
15 ml (1 c. à soupe)	*Fécule de maïs (mélangée à la crème)*
2	*Poires non pelées, évidées et taillées en cubes*
30 ml (2 c. à soupe)	*Estragon frais haché*
Au goût	*Sel et poivre frais moulu*

▪ **F**aire chauffer l'huile à feu moyen-élevé dans une casserole à fond épais et y faire dorer légèrement le porc et les poireaux. Ajouter le bouillon et la moutarde, puis porter à ébullition. Couvrir et réduire à feu moyen-doux. Laisser mijoter 45 min. ▪ **I**ncorporer le mélange de crème et de fécule, les poires et l'estragon. Laisser mijoter encore 5 min à feu doux, puis assaisonner au goût. ▪ **S**ervir accompagné de haricots verts cuits à l'étuvée et d'une miche de pain de campagne.

▪ **Variante :** Remplacer les poires par un paquet de petits champignons blancs sautés dans un soupçon de beurre.

 Utilisez une grande casserole pour la cuisson des plats mijotés. Une surface suffisamment grande permet aux cubes de porc de bien dorer (et non de bouillir) lorsque vous les faites revenir.

 Chaque portion fournit 438 calories, 31 g de protéines, 26 g de glucides et 25 g de matières grasses.

PRÉPARATION : 5 min | CUISSON : 8 à 10 min | RENDEMENT : 4 portions

Brochettes de porc en salade italienne

50 ml (¹/₄ tasse)	Pesto (du commerce)
50 ml (¹/₄ tasse)	Huile d'olive
50 ml (¹/₄ tasse)	Vinaigre de vin rouge (ou de xérès)
500 g (1 lb)	Cubes (fesse) de porc du Québec de 3 cm (1 ¹/₄ po)
8	Tomates cerises
8	Champignons café
Au goût	Sel et poivre frais moulu
50 ml (¹/₄ tasse)	Fromage romano fraîchement râpé
1 litre (4 tasses)	Laitue romaine lavée et déchiquetée

■ **M**élanger le pesto avec l'huile d'olive et le vinaigre. Réserver 50 ml (¹/₄ tasse) du mélange au réfrigérateur et incorporer les cubes de porc au reste du mélange. Couvrir et laisser mariner au réfrigérateur pendant au moins 2 h (maximum 12 h). ■ **E**nfiler les cubes sur des brochettes, en alternant avec les tomates et les champignons. Poivrer au goût. Griller à chaleur moyenne sur le barbecue, sous le gril du four ou dans une poêle-gril pendant 8 à 12 min. À mi-cuisson, retourner les brochettes à l'aide de pinces et les badigeonner de marinade. Saler à la fin de la cuisson. ■ **R**ouler les brochettes encore chaudes dans le fromage romano râpé. Servir sur la laitue romaine assaisonnée avec la marinade au pesto.

Égouttez bien les aliments marinés avant de les déposer sur la grille du barbecue pour ne pas qu'ils s'enflamment.

Chaque portion fournit 264 calories, 32 g de protéines, 5 g de glucides et 13 g de matières grasses.

Sauté de porc au genièvre et aux champignons

30 ml (2 c. à soupe)	Huile de canola
500 g (1 lb)	Cubes (épaule) de porc du Québec
250 ml (1 tasse)	Oignon haché
200 ml (³/₄ tasse)	Carottes en dés
100 ml (6 c. à soupe)	Vin rouge sec
¹/₂ boîte de 340 ml (10 oz)	Sauce brune
3	Baies de genièvre
15 ml (1 c. à soupe)	Sarriette fraîche ou 5 ml (1 c. à thé) de sarriette séchée
Au goût	Sel et poivre frais moulu
15 ml (1 c. à soupe)	Beurre
500 ml (2 tasses)	Champignons blancs frais, tranchés (ou pleurotes)
4	Tranches de pain baguette

■ **F**aire chauffer la moitié de l'huile à feu moyen dans une casserole à fond épais. Faire cuire les cubes de porc 3 à 4 min. Saler à la fin de la cuisson. Retirer la viande, la couvrir et réserver au chaud. ■ **D**ans la même casserole, faire chauffer le reste de l'huile à feu moyen. Faire cuire l'oignon et les

carottes pendant 2 min, puis déglacer au vin rouge. Faire réduire le liquide de moitié et incorporer la sauce brune. Ajouter les baies de genièvre, la sarriette, le sel et le poivre. Ajouter le porc à la sauce et laisser mijoter le tout 45 min. Enlever les baies de genièvre et garder au chaud. ■ **F**aire chauffer le beurre à feu moyen dans une poêle à surface antiadhésive et faire sauter les champignons, puis les ajouter au sauté de porc. ■ **A**ccompagner de tranches de pain grillées au four.

 Les cubes provenant de l'épaule donnent un plat mijoté très tendre en moins d'une heure. Pour un maximum de saveur, faites revenir la viande quelques minutes. Elle caramélise en surface, ce qui permet d'en retenir les sucs.

 Chaque portion fournit 286 calories, 28 g de protéines, 11 g de glucides et 12 g de matières grasses.

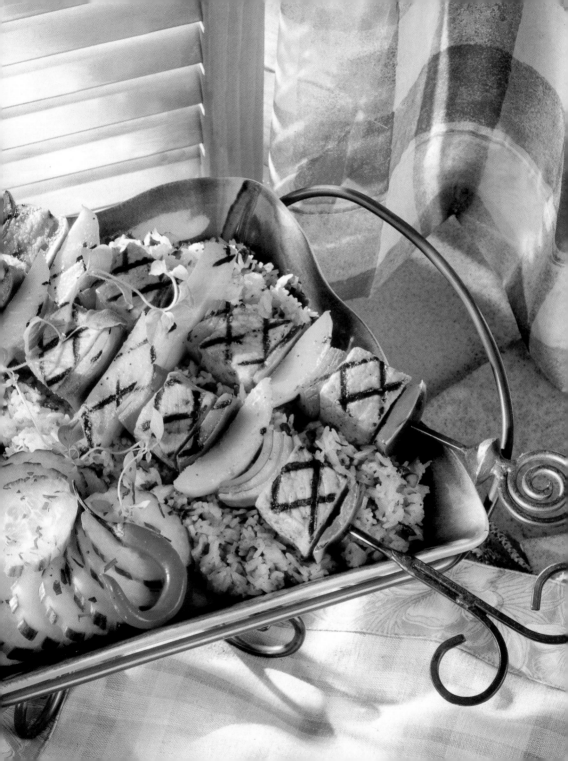

PRÉPARATION : 20 min | CUISSON : 10 min | RENDEMENT : 4 portions

Brochettes de porc épicé à la mangue

625 g (1 ¼ lb)	Cubes (fesse ou longe) de porc du Québec de 3 cm (1 ¼ po)
2	Mangues pas trop mûres (ou 4 nectarines), pelées et coupées en gros cubes
1	Gros oignon rouge coupé en morceaux
2	Poivrons verts, coupés en gros carrés
60 ml (4 c. à soupe)	Huile végétale
60 ml (4 c. à soupe)	Jus de citron
30 ml (2 c. à soupe)	Pâte de cari indien (offert en doux, moyen ou fort au rayon des produits importés)
Au goût	Sel et poivre frais moulu

■ **D**ans un bol, mélanger les cubes de porc, les mangues, l'oignon et les poivrons verts avec l'huile, le jus de citron et la pâte de cari. Couvrir et laisser mariner au réfrigérateur pendant au moins 2 h (maximum 12 h). ■ **E**nfiler les cubes de porc sur des brochettes en métal en alternant avec les morceaux de mangue et de légumes. Griller à chaleur moyenne sur le barbecue, sous le gril du four ou dans une poêle-gril pendant environ 6 min. À mi-cuisson, retourner les brochettes à l'aide de pinces, puis réduire la chaleur au minimum. Dans le cas d'une cuisson au barbecue, déplacer les brochettes sur la grille du haut et faire cuire doucement pendant 5 min. Couvrir et laisser reposer les brochettes dans une assiette pendant 2 à 3 min avant de servir. ■ **A**ccompagner de riz basmati aux pistaches grillées et d'une salade de concombres.

 La mangue constitue une excellente source de vitamine A et de vitamine C. Si vous la mariez avec le porc, qui regorge de vitamines du complexe B, vous avez dans votre assiette l'ABC des vitamines !

 Chaque portion fournit 423 calories, 37 g de protéines, 25 g de glucides et 20 g de matières grasses.

PRÉPARATION : 20 min | CUISSON : 6 à 12 min | RENDEMENT : 4 portions

Brochettes de porc thaïlandaises

375 ml (1 ½ tasse)	*Yogourt nature*
5 ml (1 c. à thé)	*Poudre de cari moyennement épicée*
1 à 2 ml (¼ à ½ c. à thé)	*Flocons de piments séchés*
125 ml (½ tasse)	*Arachides rôties non salées, concassées*
300 g (10 oz)	*Languettes (fesse) de porc du Québec de 1 cm (½ po) de largeur et de 12 à 15 cm (5 à 6 po) de longueur*
8	*Gros pétoncles*
Au goût	*Sel et poivre frais moulu*
60 ml (4 c. à soupe)	*Coriandre fraîche hachée*
1	*Lime coupée en quartiers*

■ **M**élanger le yogourt avec le cari, les flocons de piment et les arachides. Incorporer les languettes de porc et les pétoncles. Couvrir et laisser mariner au réfrigérateur pendant au moins 2 h (maximum 12 h). ■ **S**ur des brochettes, enfiler les languettes en zigzag (style satay), en alternant avec les pétoncles.

▶

Poivrer au goût. Griller à chaleur moyenne sur le barbecue, sous le gril du four ou dans une poêle-gril pendant environ 6 à 12 min. À mi-cuisson, retourner les brochettes à l'aide de pinces et les badigeonner de marinade. Saler à la fin de la cuisson. Garnir de coriandre fraîche et de quartiers de lime. ■ Servir sur un nid de vermicelles de riz (prêts en 2 min). Accompagner d'une salade croquante (laitue romaine avec radis et carottes en fines rondelles), assaisonnée avec une vinaigrette à base de vinaigre de riz et parfumée de gingembre frais râpé.

Remplacez les pétoncles par des crevettes décortiquées de grosseur moyenne. Vous pouvez aussi utiliser des noix d'acajou ou des pistaches au lieu des arachides.

Chaque portion fournit 190 calories, 24 g de protéines, 5 g de glucides et 8 g de matières grasses.

162

PRÉPARATION : 10 min | CUISSON : 5 min | RENDEMENT : 4 portions

Soupe croustillante au porc et au paprika

1 boîte de 284 ml (10 oz)	Bouillon de bœuf
1 boîte de 284 ml (10 oz)	Bouillon de volaille
1 litre (4 tasses)	Eau
30 ml (2 c. à soupe)	Miel
Au goût	Sel et poivre frais moulu
10 ml (2 c. à thé)	Paprika
15 ml (1 c. à soupe)	Romarin séché
1	Botte de cresson lavé
375 ml (1 ½ tasse)	Germes de haricot frais
375 ml (1 ½ tasse)	Champignons frais tranchés mince
375 g (¾ lb)	Porc du Québec pour fondue chinoise (cuisse ou longe)
50 ml (¼ tasse)	Oignon vert haché

■ **D**ans une grande casserole, porter à ébullition les bouillons, l'eau, le miel, le sel, le poivre, le paprika et le romarin. Ajouter ensuite le cresson, les germes de haricot et les champignons. Couvrir et laisser mijoter 1 min. ■ **V**erser dans quatre grands bols à soupe, puis répartir les tranches de porc et garnir d'oignon vert haché.

 Vous pouvez ajouter des nouilles de riz cuites dans la soupe et des pois mange-tout. Le porc pour fondue chinoise cuit en quelques secondes dans le bouillon chaud et reste tendre.

 Chaque portion fournit 378 calories, 48 g de protéines, 29 g de glucides et 8 g de matières grasses.

Qu'est-ce qu'on mange ?

Brochettes de porc en salade italienne
(recette p. 155)

Fougasse aux olives

Compote de pommes et pointe de cheddar

Filets de porc des Caraïbes
(recette p. 133)

Bâtonnets de pain croustillant au sésame

Biscuits à la farine d'avoine et verre de lait

Cubes de fromage et bâtonnets de céleri

Salade de vermicelles et de porc teriyaki
(recette p. 127)

Shortcake aux fraises

Côtelettes à l'aigre-doux de pommes
(recette p. 143)

Pain de maïs confettis

Sélection de fromages québécois et de noix

Graines de citrouille et pistaches grillées à sec avec des épices, olives marinées et séchées et parfumées au zeste d'orange

Visitez une épicerie orientale pour découvrir tous ces trésors.

Salade de pommes et d'épinards au roquefort

Des pommes rouges en lamelles, des jeunes pousses d'épinard et des miettes de roquefort rehaussées de pacanes grillées et d'une vinaigrette au vinaigre de cidre.

Mijoté de porc à la moutarde et aux poires

(recette p. 153)

Tendres cubes de porc mijotés avec des morceaux de poire et de poireau. Une touche de crème et d'estragon frais ajoute à cette recette de douces saveurs.

Haricots verts à l'étuvée et petits oignons blonds braisés

Miche de pain de campagne

Trottoirs aux prunes et à la pâte d'amande

Badigeonnez de beurre fondu des carrés de pâte feuilletée. Garnissez-les d'une couche de pâte d'amande, puis de tranches de prune rouge, en prenant soin de laisser un pourtour non garni de ½ cm (¼ po). Saupoudrez de sucre et de cannelle au goût et faites cuire au four jusqu'à ce que la pâte soit bien dorée.

Bruschetta pronto

Épépinez des tomates fraîches et taillez-les en cubes. Mélangez-les à de la vinaigrette à l'ail et à du basilic frais haché. Servez sur des rondelles de baguette grillées.

Porc-burgers à l'asperge

(recette p. 125)

Le porc, l'asperge, les herbes fraîches et le citron composent un étonnant mariage de saveurs. Ce plat que vous dégusterez sur votre terrasse est digne des plus grands restaurants!

Salade de carottes et de radis roses râpés

Aromatisez d'oignons verts et d'une vinaigrette à l'huile de sésame, et servez sur des feuilles de salade romaine bien croquante.

Shortcake aux fraises

Entre deux étages de génoise, étalez un mélange de crème fouettée et de fromage blanc frais additionné de sucre glace et de zeste de citron. Et mettez autant de fraises fraîches que vous voulez!

été

été

Voici le retour de l'été : tenues légères, pique-niques, activités extérieures, vacances et folies sont au programme. Le soleil brille, les jardins et les potagers débordent de vie, les cigales nous font la sérénade et les récoltes sont abondantes. Vive les plats colorés de bleuets, de framboises et autres petits fruits de saison remplis de vitamines, sans oublier les soirées entre amis ou en famille ! Grâce au barbecue, ami fidèle de l'été, vous réussirez des petits gueuletons sympathiques. Ne résistez plus à l'été et à son cortège de plaisirs : vos brochettes et vos porc-burgers, tendrement cuits, deviendront les favoris de la plus délicieuse des saisons !

PRÉPARATION : 15 min | CUISSON : 5 à 10 min | RENDEMENT : 4 portions

Porc-burgers parmigiana

500 g (1 lb)	Porc du Québec haché maigre
15 ml (1 c. à soupe)	Basilic frais haché
125 ml (½ tasse)	Parmesan frais râpé
30 ml (2 c. à soupe)	Pâte de tomate
1 pincée	Cassonade ou sucre
Au goût	Sel et poivre frais moulu
4	Pains à hamburger aux graines de sésame
8	Tranches de champignons portobello grillées
1	Courgette tranchée dans le sens de la longueur et grillée (4 tranches)

▪ **M**élanger le porc avec le basilic, le parmesan, la pâte de tomate et la cassonade. Façonner quatre galettes de 1 cm (½ po) d'épaisseur. Poivrer au goût. ▪ **F**aire griller à chaleur moyenne sur le barbecue, sous le gril du four ou dans une poêle-gril pendant 5 à 10 min. À mi-cuisson, retourner les galettes à l'aide d'une spatule. Saler à la fin de la cuisson. ▪ **P**lacer les galettes dans les pains au sésame, garnis de champignons et de courgettes grillés. ▪ **P**roposer du pesto pour garnir ces porc-burgers et servir accompagné d'un mesclun (mélange de feuilles de salades diverses telles que laitue, mâche, trévise, etc.) relevé d'une vinaigrette balsamique.

▪ **Variante :** On peut remplacer le basilic par du thym frais émietté et le parmesan par du romano. Ajouter alors 7 ml (½ c. à soupe) de pâte de tomate.

 Le porc est une source de protéines d'excellente qualité, de vitamines essentielles (dont les vitamines du complexe B) et de minéraux importants (fer, zinc et autres).

 Chaque portion fournit 482 calories, 31 g de protéines, 26 g de glucides et 28 g de matières grasses.

PRÉPARATION : 15 min | CUISSON : 5 à 7 min | RENDEMENT : 4 portions

Sauté de porc aux légumes et aux noisettes

10 ml (2 c. à thé)	Huile de sésame
4 x 125 g (4 oz)	Côtelettes de porc du Québec désossées, taillées en lanières
15 ml (1 c. à soupe)	Huile végétale
1	Gousse d'ail émincée
1	Oignon taillé en fines lamelles
1	Poivron rouge, taillé en fines lamelles
500 ml (2 tasses)	Fleurettes de brocoli
1/2	Petit chou chinois tranché mince
500 ml (2 tasses)	Champignons frais tranchés
10 ml (2 c. à thé)	Gingembre frais râpé (au goût)
125 ml (1/2 tasse)	Noisettes entières rôties
250 ml (1 tasse)	Bouillon de poulet
15 ml (1 c. à soupe)	Fécule de maïs délayée dans 45 ml (3 c. à soupe) d'eau
Au goût	Sel et poivre frais moulu

■ **F**aire chauffer l'huile de sésame à feu moyen-élevé dans un wok ou une grande poêle à surface antiadhésive. Faire sauter les lanières de porc pendant 1 à 2 min. Les retirer, les couvrir et réserver au chaud. ■ **D**ans le même récipient, faire chauffer l'huile végétale à feu moyen-élevé. Faire sauter l'ail et l'oignon pendant 30 sec. Ajouter le poivron, le brocoli, le chou, les champignons et le gingembre. Faire sauter pendant 4 min. ■ **A**jouter les noisettes et le bouillon. Porter à ébullition, puis ajouter la fécule délayée et laisser bouillir 1 min. Incorporer les lanières de porc et bien mélanger. Assaisonner au goût et servir sur des vermicelles de riz.

Tous les experts en santé cardiaque s'accordent à dire que la meilleure façon de contrôler son taux de cholestérol est de surveiller sa consommation de gras en général, notamment en privilégiant des viandes maigres comme le porc.

Chaque portion fournit 373 calories, 34 g de protéines, 16 g de glucides et 21 g de matières grasses.

PRÉPARATION : 10 min | CUISSON : 5 à 10 min | RENDEMENT : 4 portions

Porc-burgers dijonnais à la framboise

500 g (1 lb)	Porc du Québec haché maigre
60 ml (4 c. à soupe)	Confiture de framboises
60 ml (4 c. à soupe)	Moutarde de Dijon
75 ml (⅓ tasse)	Persil frais haché
Au goût	Sel et poivre frais moulu
4	Pains pitas
4	Feuilles de laitue frisée
1	Pomme épépinée et tranchée finement

■ **M**élanger le porc avec la confiture, la moutarde et le persil. Faire quatre galettes de 1 cm (½ po) d'épaisseur. Poivrer au goût. ■ **F**aire griller à chaleur moyenne sur le barbecue, sous le gril du four ou dans une poêle-gril pendant 5 à 10 min. À mi-cuisson, retourner les galettes à l'aide d'une spatule. Saler à la fin de la cuisson. ■ **P**lacer les galettes dans les pains pitas, garnis de laitue et de pomme.

 Ne vous fiez pas à la couleur pour juger de la cuisson de ces porc-burgers. La confiture de framboises donne une teinte légèrement rosée à la viande, même lorsqu'elle est bien cuite.

 Chaque portion fournit 534 calories, 28 g de protéines, 5 g de glucides et 24 g de matières grasses.

Brochettes de porc marinées au yogourt

500 ml (2 tasses)	Yogourt nature
10 ml (2 c. à thé)	Ail haché finement
15 ml (1 c. à soupe)	Basilic frais haché
30 ml (2 c. à soupe)	Menthe fraîche hachée
30 ml (2 c. à soupe)	Jus de lime
30 ml (2 c. à soupe)	Sucre brun
500 g (1 lb)	Cubes à brochettes (longe ou fesse) de porc du Québec de 3 cm (1 ¼ po) d'épaisseur
375 ml (1 ½ tasse)	Mangues pelées en cubes de 3 cm (1 ¼ po) d'épaisseur
375 ml (1 ½ tasse)	Cantaloup en cubes de 3 cm (1 ¼ po) d'épaisseur
Au goût	Sel et poivre frais moulu

■ **M**élanger le yogourt, l'ail, le basilic, la menthe, le jus de lime et le sucre brun. Réserver 250 ml (1 tasse) de marinade au réfrigérateur. Incorporer les cubes de porc au reste de la marinade. Couvrir et laisser mariner au frigo pendant 1 à 2 h. ■ **E**nfiler les cubes de porc sur les brochettes en alternant avec les fruits. Poivrer au goût. Griller à chaleur moyenne sur le barbecue, sous le gril du four ou dans une poêle-gril pendant 8 à 10 min. À mi-cuisson, retourner les brochettes à l'aide de pinces et badigeonner de la marinade réservée. Saler à la fin de la cuisson et servir sur du riz sauvage.

Placez un minuteur de cuisson près du barbecue. Il est si facile de se laisser distraire par les enfants ou les invités et, ainsi, de dépasser le temps de cuisson recommandé. Le porc est tendre et délicieux lorsqu'il cuit à 70 °C (160 °F).

Chaque portion fournit 334 calories, 36 g de protéines, 38 g de glucides et 7 g de matières grasses.

PRÉPARATION : 5 min | CUISSON : 18 min | RENDEMENT : 4 portions

Escalopes de porc au romarin

250 ml (1 tasse)	*Consommé de bœuf*
15 ml (1 c. à soupe)	*Romarin frais haché fin ou 5 ml (1 c. à thé) de romarin séché*
15 ml (1 c. à soupe)	*Beurre sans sel*
30 ml (2 c. à soupe)	*Huile d'olive*
3	*Courgettes émincées*
4	*Grosses tomates coupées en lamelles de 6 mm ($^1/_4$ po) dans le sens de la longueur*
5 ml (1 c. à thé)	*Thym frais haché ou 1 ml ($^1/_4$ c. à thé) de thym séché*
75 ml ($^1/_3$ tasse)	*Farine*
4 x 125 g (4 oz)	*Escalopes de porc du Québec de 6 mm ($^1/_4$ po) d'épaisseur*
Au goût	*Sel et poivre frais moulu*

■ **D**ans une petite casserole, porter à ébullition le consommé, le romarin et le beurre. Laisser réduire environ 15 min à feu doux. ■ **E**ntre-temps, faire chauffer l'huile à feu moyen dans une poêle à surface antiadhésive. Faire sauter les courgettes pendant 2 min. Déposer les courgettes et les tomates en alternance dans un plat. Saupoudrer de thym. Réserver au chaud. ■ **E**nfariner les escalopes, les assaisonner et les secouer pour enlever l'excédent de farine. Dans la même poêle, faire cuire les escalopes 1 min de chaque côté. Les disposer dans une assiette et napper de sauce. ■ **S**ervir avec les légumes chauds.

Extra-maigre et riche en éléments nutritifs essentiels, l'escalope constitue un choix judicieux pour les personnes qui surveillent leurs poids.

Chaque portion fournit 387 calories, 39 g de protéines, 22 g de glucides et 16 g de matières grasses.

177

PRÉPARATION : 15 min | CUISSON : 8 à 10 min | RENDEMENT : 4 à 8 portions

Mini kebabs de porc haché aux fruits

500 g (1 lb)	Porc du Québec haché maigre
125 ml (½ tasse)	Canneberges séchées
50 ml (¼ tasse)	Persil frais haché
Au goût	Sel et poivre frais moulu
1 boîte de 398 ml (14 oz)	Pêches tranchées en conserve dans du jus de fruits, égouttées
15 à 30 ml (1 à 2 c. à soupe)	Cassonade
15 ml (1 c. à soupe)	Vinaigre de cidre

■ **M**élanger le porc, les canneberges et le persil. Poivrer au goût. Façonner 16 boulettes et les enfiler délicatement sur 8 brochettes de bois ayant trempé dans l'eau pendant 30 min. ■ **F**aire griller à chaleur moyenne sur le barbecue, sous le gril du four (garder la porte du four légèrement entrouverte) ou dans une poêle-gril à feu moyen-élevé pendant 8 à 10 min. Retourner les brochettes une fois à mi-cuisson à l'aide d'une spatule. Ne saler qu'après la cuisson et laisser reposer pendant 2 min. ■ **E**ntre-temps, au mélangeur, réduire les pêches en purée avec la cassonade et le vinaigre. Faire chauffer le mélange dans une petite casserole à feu moyen-élevé pendant 4 à 5 min, en remuant souvent. Servir les mini kebabs avec la sauce aux pêches. ■ **A**ccompagner de riz ou de couscous aux graines de sésame et d'une salade composée.

Optez pour une saine alimentation en utilisant des produits laitiers moins gras et en choisissant une viande maigre comme la viande de porc.

Chaque portion de 2 kebabs fournit 362 calories, 22 g de protéines, 22 g de glucides et 21 g de matières grasses.

PRÉPARATION : 10 min | CUISSON : 8 à 10 min | RENDEMENT : 4 portions

Porc-burgers aztèques

1	Avocat mûr et dénoyauté (ou guacamole du commerce)
10 ml (2 c. à thé)	Jus de lime (ou de citron)
6	Morceaux de tomate séchée (ou 3 abricots séchés), finement émincés
5 ml (1 c. à thé)	Piment fort, épépiné et haché
375 g (³/₄ lb)	Porc du Québec haché maigre
1	Oignon finement haché
1	Œuf
30 ml (2 c. à soupe)	Moutarde à l'ancienne
Au goût	Sel et poivre frais moulu
4	Pains pitas ou tortillas de blé (souples)
4	Tranches de fromage (Monterey Jack, suisse ou autre)
4	Feuilles de laitue frisée (rouge ou verte)

■ **R**éduire la chair de l'avocat en purée grossière (ou utiliser la guacamole) et mélanger avec le jus de lime (ou de citron), les tomates séchées (ou les abricots séchés) et le piment. Réserver. ■ **M**élanger le porc haché, l'oignon, l'œuf et la moutarde. Saler, poivrer et faire 12 boulettes. ■ **P**réchauffer le gril du four au maximum. Déposer les boulettes sur la grille d'une lèchefrite et les faire griller pendant 8 à 10 min, à 10 cm (4 po) environ de l'élément chauffant, en laissant la porte du four entrouverte. Entre-temps, faire griller les pains ou réchauffer les tortillas. ■ **G**arnir les pains dans l'ordre suivant : fromage, laitue, boulettes, puis mélange à l'avocat. Rouler les pains et les servir à demi enveloppés de papier ciré pour bien les retenir.

Vous pouvez aussi faire quatre galettes et faire des burgers traditionnels.

Chaque portion fournit 549 calories, 31 g de protéines, 43 g de glucides et 30 g de matières grasses.

PRÉPARATION : 15 min | CUISSON : 15 min | RENDEMENT : 4 portions

Porc-burgers au maïs et aux tomates séchées

500 g (1 lb)	*Porc du Québec haché maigre*
125 ml (½ tasse)	*Maïs en grains cuit, bien égoutté*
8 à 10	*Morceaux de tomate séchée marinée dans l'huile, égouttés et hachés finement*
100 ml (6 c. à soupe)	*Fromage cheddar fort ou gruyère râpé*
1	*Œuf battu*
Au goût	*Sel et poivre frais moulu*
Pour badigeonner	*Huile végétale*

▪ **P**réchauffer le barbecue au maximum. Mélanger le porc avec le maïs, les tomates séchées, le cheddar, l'œuf, le sel et le poivre. Façonner quatre galettes de 2 cm (³/₄ po) d'épaisseur. ▪ **R**éduire la chaleur du barbecue au minimum. Huiler légèrement les galettes des deux côtés et les griller pendant 5 min de chaque côté, en gardant le couvercle du barbecue fermé. Déplacer ensuite les galettes sur la grille du haut et faire cuire doucement encore 5 min. ▪ **M**ettre les porc-burgers dans des pains kaiser ou des petits pains de campagne grillés, sans oublier de rajouter ses garnitures préférées.

Pour plus de tendreté, couvrir et laisser reposer les porc-burgers dans une assiette pendant 2 à 3 min avant de servir.

Chaque portion fournit 388 calories, 26 g de protéines, 6 g de glucides et 29 g de matières grasses.

Côtelettes papillons à l'orange piquante

15 ml (1 c. à soupe)	Huile de canola
4 x 150 g (5 oz)	Côtelettes papillons de porc du Québec de 2 cm (³/₄ po) d'épaisseur
Au goût	Sel et poivre frais moulu
1	Sachet de soupe à l'oignon
8	Tranches d'orange pelées
500 ml (2 tasses)	Jus d'orange
2 ml (¹/₂ c. à thé)	Cannelle moulue
1 pincée	Poivre de Cayenne
10 ml (2 c. à thé)	Ciboulette fraîche hachée
1	Tomate coupée en dés

■ **F**aire chauffer l'huile à feu moyen dans une poêle à surface antiadhésive. Faire cuire les côtelettes pendant 6 à 8 min. Les retourner une fois à mi-cuisson. Saler et poivrer après cuisson. ■ **V**ider le sachet de soupe sur les côtelettes. Déposer ensuite deux tranches d'orange sur chacune. ■ **A**jouter le jus d'orange, la cannelle et le poivre de Cayenne. Porter à ébullition, couvrir et laisser mijoter 5 min. ■ **R**etirer les côtelettes, les couvrir et réserver au chaud. Ajouter la ciboulette et les tomates à la sauce, puis porter rapidement à ébullition. Napper les côtelettes de sauce.

Cette méthode de cuisson convient bien à d'autres coupes de porc comme le steak d'intérieur de ronde ou de soc. Après avoir amené la sauce à ébullition, baissez le feu pour que le tout mijote lentement, une méthode idéale pour cuire le porc.

Chaque portion fournit 395 calories, 38 g de protéines, 30 g de glucides et 14 g de matières grasses.

PRÉPARATION : 10 min | CUISSON : 15 min | RENDEMENT : 4 portions

Spaghettis gratinés au porc et à la crème

375 g (13 oz)	Spaghettis (pâtes sèches)
30 ml (2 c. à soupe)	Huile d'olive
500 g (1 lb)	Languettes (fesse) de porc du Québec de 5 cm (2 po) de longueur
4	Courgettes moyennes taillées en bâtonnets
3	Échalotes hachées
500 ml (2 tasses)	Crème champêtre à 15 %
1	Enveloppe de potage aux poireaux déshydraté
250 ml (1 tasse)	Petits dés de fromage fontina (ou mozzarella)
30 ml (2 c. à soupe)	Basilic frais haché

■ **F**aire cuire les spaghettis *al dente*. Entre-temps, faire chauffer la moitié de l'huile à feu moyen dans une grande poêle à surface antiadhésive. Faire sauter les languettes de porc pendant 2 à 4 min. Les retirer, les couvrir et réserver. ■ **D**ans la même poêle, faire chauffer le reste de l'huile à feu moyen. Faire revenir les courgettes et les échalotes pendant 8 min. Incorporer la crème, le mélange en poudre, la moitié du fromage et le basilic. Remuer jusqu'à ce que le fromage soit fondu. Ajouter le porc et réchauffer. Une fois les spaghettis égouttés, incorporez-les à la sauce au porc et aux courgettes. ■ **D**époser dans un plat à gratin et recouvrir du reste de fromage. Faire gratiner sous le gril du four jusqu'à ce que le fromage commence à dorer et servir.

Les languettes contiennent 4,1 g de matières grasses pour 100 g (3 ½ oz) de viande cuite, une teneur toute sage en matières grasses. On peut donc les accompagner d'une sauce à la crème dans un repas au contenu en gras très raisonnable.

Chaque portion fournit 629 calories, 37 g de protéines, 57 g de glucides et 28 g de matières grasses.

PRÉPARATION : 15 min | CUISSON : 5 à 7 min | RENDEMENT : 4 portions

Médaillons de porc aux épinards

15 ml (1 c. à soupe)	Huile végétale
375 g (³/₄ lb)	Filet de porc du Québec, taillé en médaillons de 1 cm (¹/₂ po) d'épaisseur
1	Poivron vert tranché finement
1	Poivron rouge tranché finement
750 ml (3 tasses)	Champignons frais tranchés
45 ml (3 c. à soupe)	Sauce tamari (ou sauce soya légère en sel)
1	Lime ou citron (le jus seulement)
15 ml (1 c. à soupe)	Marmelade (ou miel)
15 à 20 ml (3 à 4 c. à thé)	Gingembre frais râpé
1 litre (4 tasses)	Épinards frais, coupés en morceaux
375 ml (1 ¹/₂ tasse)	Germes de haricot frais

■ **F**aire chauffer l'huile à feu moyen-vif dans un grand wok ou une poêle à surface antiadhésive. Faire dorer légèrement les médaillons de porc pendant 2 à 3 min. Réserver le porc dans un plat couvert. ■ **F**aire sauter les poivrons et les champignons dans le wok 3 à 4 min. Pousser les légumes d'un côté et ajouter la sauce tamari (ou la sauce soya), le jus de lime (ou de citron), la marmelade et le gingembre. Faire bouillir pendant 1 min. ■ **A**jouter le porc, les épinards et les germes de haricot. Réchauffer le tout en remuant pendant 2 min. Servir immédiatement, accompagné de riz à la vapeur ou de vermicelles de riz. Garnir d'amandes tranchées grillées, si désiré.

Pour vous assurer d'une petite couche dorée à la surface de vos aliments, épongez les morceaux de viande et de légumes avec du papier absorbant avant la cuisson. Votre sauté sera encore plus savoureux !

Chaque portion fournit 212 calories, 26 g de protéines, 15 g de glucides et 6 g de matières grasses.

PRÉPARATION : 10 min | CUISSON : 6 à 12 min | RENDEMENT : 4 portions

Sandwiches roulés à la rémoulade

125 ml (¹/₂ tasse)	*Mayonnaise dijonnaise*
15 ml (1 c. à soupe)	*Vinaigre de vin blanc*
1	*Échalote hachée finement*
Au goût	*Sel et poivre frais moulu*
4 x 150 g (5 oz)	*Côtelettes de porc du Québec désossées de 2 cm (³/₄ po) d'épaisseur*
200 ml (³/₄ tasse)	*Radis en fines rondelles*
200 ml (³/₄ tasse)	*Courgettes râpées*
50 ml (¹/₄ tasse)	*Persil frais haché*
4	*Grandes tortillas de blé (minces et souples)*
4	*Grandes feuilles de laitue frisée*

▪ **M**élanger la mayonnaise dijonnaise, le vinaigre et l'échalote. Poivrer au goût. Réserver la moitié du mélange au réfrigérateur et enrober les côtelettes du reste du mélange. Si désiré, couvrir et laisser mariner au réfrigérateur pendant 2 h. ▪ **G**riller à chaleur moyenne sur le barbecue, sous le gril du four ou dans une poêle-gril pendant environ 6 à 12 min. À mi-cuisson, retourner les côtelettes à l'aide de pinces. Saler à la fin de la cuisson. ▪ **M**élanger les radis, les courgettes, le persil et la sauce réservée. Tailler les côtelettes en lanières et les incorporer au mélange. Rouler le tout dans des tortillas tapissées de laitue.

Le *Guide alimentaire canadien pour manger sainement* précise l'importance du groupe des Viandes ou substituts dans l'alimentation. Une côtelette de porc est un bon exemple d'une portion de viande maigre.

Chaque portion fournit 351 calories, 40 g de protéines, 22 g de glucides et 10 g de matières grasses.

PRÉPARATION : 10 min | CUISSON : 6 à 8 min | RENDEMENT : 4 portions

Steaks de porc à la coriandre

15 ml (1 c. à soupe)	Graines de coriandre
125 ml (½ tasse)	Jus de citron
75 ml (⅓ tasse)	Huile d'olive
2	Gousses d'ail pressées
45 ml (3 c. à soupe)	Coriandre fraîche hachée
4 x 150 g (5 oz)	Steaks d'intérieur de ronde de porc du Québec de 2 cm (¾ po) d'épaisseur
Au goût	Sel et poivre frais moulu
30 ml (2 c. à soupe)	Vinaigre de framboise
125 ml (½ tasse)	Bouillon de légumes ou de volaille
10 ml (2 c. à thé)	Fécule de maïs délayée dans un peu de bouillon

■ **M**élanger 5 ml (1 c. à thé) de graines de coriandre, le jus de citron, 50 ml (¼ tasse) d'huile, l'ail et la coriandre fraîche. Ajouter les steaks de porc et bien les enrober du mélange précédent. Couvrir et laisser mariner au réfrigérateur pendant 2 h (maximum 6 h). ■ **D**isposer le reste des graines

▶

de coriandre sur chacun des steaks et poivrer au goût. **F**aire chauffer le reste de l'huile à feu moyen dans une grande poêle à surface antiadhésive. Faire cuire les steaks pendant 6 à 8 min en les retournant une fois à mi-cuisson. Saler à la fin de la cuisson. Les retirer, les couvrir et réserver au chaud. **D**églacer la poêle au vinaigre de framboise et au bouillon. Incorporer la fécule délayée, puis laisser épaissir à feu doux. Verser immédiatement la sauce sur les steaks. **A**ccompagner de spaghettinis à l'ail garnis de lanières de poivron rouge ou jaune sautées.

 Les protéines de la viande de porc sont d'excellente qualité et sont faciles à digérer. Une portion de 100 g (3 ½ oz) de porc cuit fournit 29 g de protéines, soit environ la moitié des besoins quotidiens d'un adulte.

Chaque portion fournit 442 calories, 37 g de protéines, 8 g de glucides et 27 g de matières grasses.

PRÉPARATION : 10 min | CUISSON : 4 min | RENDEMENT : 4 portions

Salade de porc, d'endives et de cresson

15 ml (1 c. à soupe)	Huile d'olive
1	Échalote hachée
500 g (1 lb)	Petits cubes (épaule) de porc du Québec
Au goût	Sel et poivre frais moulu

Vinaigrette

100 ml (6 c. à soupe)	Huile d'olive
50 ml ($\frac{1}{4}$ tasse)	Jus de citron
Au goût	Sel et poivre frais moulu
2 ml ($\frac{1}{2}$ c. à thé)	Moutarde sèche
1 ml ($\frac{1}{4}$ c. à thé)	Gingembre moulu
2 ml ($\frac{1}{2}$ c. à thé)	Cari en poudre
$\frac{1}{2}$	Gousse d'ail émincée

Garniture

4	Betteraves cuites en tranches
4	Endives lavées
1	Botte de cresson lavée

■ **F**aire chauffer l'huile à feu moyen dans une poêle à surface antiadhésive. Faire revenir l'échalote et les cubes de porc pendant 3 à 4 min. Saler et poivrer. ■ **E**ntre-temps, mélanger ensemble tous les ingrédients de la vinaigrette. ■ **A**u moment de servir, disposer dans chaque assiette le porc, les betteraves, les endives et le cresson, puis arroser de vinaigrette.

Aujourd'hui, le porc a une teneur bien sage en gras et en cholestérol. C'est donc un choix judicieux pour manger sainement.

Chaque portion fournit 608 calories, 28 g de protéines, 8 g de glucides et 35 g de matières grasses.

193

PRÉPARATION : 5 min | CUISSON : 10 à 12 min | RENDEMENT : 4 portions

Côtelettes au prosciutto et au poivre

4 x 150 g (5 oz)	Côtelettes de porc du Québec de 2 cm (³/₄ po) d'épaisseur
4	Tranches minces de prosciutto
Au goût	Poivre noir frais moulu
Pour badigeonner	Huile végétale
30 ml (2 c. à soupe)	Herbes de Provence (thym, romarin, fenouil et sarriette)

■ **T**rancher les côtelettes dans le sens de l'épaisseur pour obtenir des pochettes. Glisser une tranche de prosciutto dans chaque côtelette et poivrer abondamment l'intérieur. Refermer. ■ **H**uiler légèrement les côtelettes des deux côtés, puis les assaisonner d'herbes de Provence. ■ **F**aire griller les côtelettes à chaleur moyenne sur le barbecue, sous le gril du four ou dans une poêle-gril 3 à 6 min de chaque côté. ■ **A**ccompagner les côtelettes de légumes grillés tels que pommes de terre, poivrons, courgettes ou champignons.

 Huilez la grille du barbecue avant chaque utilisation. Une grille propre et huilée empêchera les aliments de trop coller et facilitera le nettoyage.

 Chaque portion fournit 457 calories, 39 g de protéines, 2 g de glucides et 32 g de matières grasses.

PRÉPARATION : 10 min | CUISSON : 6 à 12 min | RENDEMENT : 4 portions

Tournedos de porc et salsa de fraises

Salsa de fraises

250 ml (1 tasse)	Fraises tranchées
250 ml (1 tasse)	Ananas frais taillé en dés
3	Oignons verts hachés finement
50 ml (¼ tasse)	Vinaigre balsamique
Au goût	Sel et poivre noir frais moulu
Au goût	Cassonade
4 x 150 g (5 oz)	Tournedos de porc du Québec de 2,5 cm (1 po) d'épaisseur

■ **M**élanger les fraises, l'ananas, les oignons verts et 30 ml (2 c. à soupe) de vinaigre balsamique. Assaisonner au goût de sel et de poivre, puis ajouter de la cassonade au goût. Réserver. ■ **B**adigeonner les tournedos du reste du vinaigre balsamique. Poivrer au goût. Griller à chaleur moyenne sur le barbecue, sous le gril du four ou dans une poêle-gril pendant 6 à 12 min. À mi-cuisson, retourner les tournedos à l'aide de pinces et badigeonner de vinaigre encore une fois. Saler à la fin de la cuisson et laisser reposer 1 à 2 min. ■ **S**ervir les tournedos avec la salsa de fraises. Accompagner de pommes de terre grelots et de pois mange-tout à l'étuvée.

 Si vous comptez jardiner une bonne partie de la journée, pourquoi ne pas prévoir un barbecue de porc à l'heure du lunch ? En effet, les protéines sont digérées plus lentement et permettent une libération graduelle de l'énergie.

 Chaque portion fournit 270 calories, 34 g de protéines, 19 g de glucides et 6 g de matières grasses.

PRÉPARATION : 15 min | CUISSON : 6 à 12 min | RENDEMENT : 4 portions

Brochettes de porc exotiques

500 g (1 lb)	Cubes à brochettes (longe ou fesse) de porc du Québec de 3 cm (1 ¼ po)
250 ml (1 tasse)	Vinaigrette crémeuse à l'aneth ou au concombre (du commerce)
2	Caramboles taillées en tranches de 2 cm (³/₄ po)
375 ml (1 ½ tasse)	Morceaux d'ananas de 4 cm (1 ³/₄ po)
1	Oignon rouge, coupé en morceaux de 5 cm (2 po)
Au goût	Sel et poivre frais moulu

▪ **M**élanger les cubes de porc avec la vinaigrette. Couvrir et laisser mariner au réfrigérateur pendant au moins 2 h (maximum 12 h). ▪ **E**nfiler les ingrédients sur des brochettes et poivrer au goût. Griller à chaleur moyenne sur le barbecue, sous le gril du four ou dans une poêle-gril pendant 6 à 12 min. À mi-cuisson, retourner les brochettes à l'aide de pinces et badigeonner de marinade. Saler à la fin de la cuisson. ▪ **S**ervir les brochettes accompagnées de taboulé (salade de couscous et de persil relevée de jus de citron).

▪ **Variante :** On peut remplacer l'ananas par des cubes de mangue ou de papaye fermes et la carambole par des quartiers d'orange ou des morceaux de banane bien ferme.

 Quand une recette précise qu'il faut laisser mariner le porc, le laisser mariner au réfrigérateur de 2 à 12 h, mais jamais plus, car au-delà de ce temps, la marinade fait durcir la viande.

 Chaque portion fournit 317 calories, 27 g de protéines, 14 g de glucides et 17 g de matières grasses.

PRÉPARATION : 15 min | CUISSON : 5 à 6 min sur le gril | RENDEMENT : 4 portions

Côtes levées aux olives et aux pignons

4 x 4 côtes	Côtes levées de porc du Québec
1 litre (4 tasses)	Bouillon de légumes léger en sel (ou plus pour couvrir les côtes)
60 ml (4 c. à soupe)	Olives noires Calamata dénoyautées et hachées
125 ml (½ tasse)	Miel crémeux
30 ml (2 c. à soupe)	Moutarde à l'ail
125 ml (½ tasse)	Ananas broyés en conserve, bien égouttés
15 ml (1 c. à soupe)	Sauce tamari (ou sauce soya légère)
100 ml (6 c. à soupe)	Pignons grossièrement hachés

■ **F**aire mijoter les côtes levées dans le bouillon pendant 30 à 45 min après la reprise de l'ébullition. Égoutter. ■ **P**réchauffer le barbecue au maximum. Dans un bol, mélanger les olives avec le miel, la moutarde à l'ail, les ananas broyés, la sauce tamari et les pignons hachés. Enrober les côtes de porc de cette préparation. ■ **F**aire griller 5 à 6 min de chaque côté sur le barbecue à chaleur moyenne ou sous le gril du four, en prenant soin de badigeonner les côtes levées de temps en temps. ■ **A**ccompagner d'une salade de riz sauvage aux épinards et aux raisins rouges frais sans pépins, parfumée de thym.

 Pour servir les côtes levées en hors-d'œuvre, séparez-les en côtes individuelles avant la cuisson. Faites-les ensuite mijoter dans un liquide aromatique. Puis faites-les griller, badigeonnées de votre sauce préférée.

 Chaque portion fournit 472 calories, 26 g de protéines, 30 g de glucides et 28 g de matières grasses.

Escalopes de porc aux poireaux

30 ml (2 c. à soupe)	Beurre
4	Blancs de poireau, tranchés mince (garder les verts)
75 ml (¹/₃ tasse)	Vermouth sec (ou vin blanc sec)
1 pincée	Muscade râpée
50 ml (¹/₄ tasse)	Fromage Quark ou fromage blanc (Fontainebleau)
4 x 125 g (4 oz)	Escalopes de porc du Québec de 6 mm (¹/₄ po) d'épaisseur
Au goût	Sel et poivre frais moulu
200 ml (³/₄ tasse)	Oignons verts hachés
50 ml (¹/₄ tasse)	Vinaigre blanc
300 ml (1 ¹/₄ tasse)	Bouillon de légumes ou de volaille
15 ml (1 c. à soupe)	Gingembre frais haché fin
10 ml (2 c. à thé)	Fécule de maïs délayée dans un peu de bouillon
375 ml (1 ¹/₂ tasse)	Verts de poireau, coupés en julienne et blanchis

■ **F**aire chauffer la moitié du beurre à feu doux dans une poêle à surface antiadhésive. Faire cuire les blancs de poireau pendant 8 min. Déglacer au vermouth, saupoudrer de muscade, puis faire réduire le liquide à un tiers

de son volume. Incorporer le fromage et chauffer à feu doux environ 6 min. Retirer du feu, couvrir et garder au chaud. ■ **D**ans une autre poêle, faire chauffer le reste du beurre à feu moyen et faire cuire les escalopes pendant 1 min de chaque côté. Saler et poivrer après la cuisson. Retirer les escalopes, les couvrir et réserver au chaud. ■ **D**ans cette poêle, faire sauter les oignons pendant 2 min. ■ **D**églacer avec le vinaigre et le bouillon et ajouter le gingembre. Incorporer la fécule délayée, puis laisser épaissir à feu doux. ■ **A**u moment de servir, déposer les blancs de poireau au fond d'un plat et placer les escalopes sur le dessus. Napper de sauce. Garnir de verts de poireau en julienne.

 Des escalopes bien taillées et cuites correctement ne devraient pas onduler à la cuisson. Si vos escalopes ne sont pas d'une épaisseur uniforme, aplatissez-en les parties plus épaisses.

 Chaque portion fournit 348 calories, 34 g de protéines, 15 g de glucides et 15 g de matières grasses.

Languettes de porc grillées au pesto

500 g (1 lb)	*Languettes (fesse) de porc du Québec*
125 ml (½ tasse)	*Vin blanc*
45 ml (3 c. à soupe)	*Herbes fraîches hachées au choix (persil, origan, ciboulette, etc.)*
30 ml (2 c. à soupe)	*Huile d'olive*
15 ml (1 c. à soupe)	*Vinaigre balsamique*
Au goût	*Sel et poivre frais moulu*
30 ml (2 c. à soupe)	*Pesto*

■ **A**platir les languettes de porc entre deux pellicules plastique. Les faire mariner dans le vin mélangé aux herbes, à l'huile d'olive et au vinaigre balsamique pendant au moins 2 h (maximum 12 h). ■ **E**nfiler les languettes sur de petites brochettes en bois imbibées d'eau. Faire griller à chaleur moyenne sur le barbecue, sous le gril du four ou dans une poêle-gril pendant environ 2 à 5 min. Retourner les brochettes une ou deux fois en cours de cuisson, à l'aide de pinces. Retirer les languettes du feu, assaisonner au goût et badigeonner de pesto. ■ **S**ervir aussitôt avec une salade froide de fusilis aux épinards, de poivron, d'orange, de bocconcini et d'échalote.

Ces languettes grillées sont si vites cuites que vous pouvez les faire au fur et à mesure et, ainsi, toujours les servir à leur meilleur.

Chaque portion fournit 431 calories, 37 g de protéines, 31 g de glucides et 16 g de matières grasses.

PRÉPARATION : 20 min | CUISSON : 6 à 12 min | RENDEMENT : 4 portions

Brochettes de porc au sésame et au citron

60 ml (4 c. à soupe)	Graines de sésame grillées, si désiré
60 ml (4 c. à soupe)	Huile végétale
60 ml (4 c. à soupe)	Sauce soya
60 ml (4 c. à soupe)	Jus de citron frais pressé
500 g (1 lb)	Cubes à brochettes (longe ou fesse) de porc du Québec de 3 cm (1 ¼ po)
1 à 2	Courgettes taillées en rondelles de 2 cm (¾ po) d'épaisseur
375 ml (1 ½ tasse)	Champignons frais entiers
2	Poivrons rouges ou jaunes, taillés en gros carrés
Au goût	Sel et poivre frais moulu

■ **É**craser la moitié des graines de sésame entre deux feuilles de pellicule plastique. Dans un bol, fouetter les graines écrasées avec le reste des graines, l'huile, la sauce soya et le jus de citron. Mélanger les cubes de porc avec cette marinade, couvrir et laisser mariner au réfrigérateur pendant au moins 2 h (maximum 12 h). ■ **E**nfiler les cubes de porc sur des brochettes, en alternance avec les légumes. Poivrer au goût. Griller les brochettes à chaleur moyenne sur le barbecue, sous le gril du four ou dans une poêle-gril pendant environ 6 à 12 min. À mi-cuisson, retourner les brochettes à l'aide de pinces et les badigeonner de marinade. Saler à la fin de la cuisson. ■ **A**ccompagner les brochettes d'une salade de pois mange-tout, de cœurs de palmier et de tomates cerises dans une vinaigrette légèrement relevée d'ail.

Pour vérifier la température du barbecue, placez la paume de la main de 2,5 à 5 cm (1 à 2 po) au-dessus de la grille. Si vous pouvez tolérer la chaleur pendant 3 à 4 secondes, votre gril est à chaleur moyenne, donc idéal pour la cuisson du porc.

Chaque portion fournit 410 calories, 39 g de protéines, 10 g de glucides et 24 g de matières grasses.

PRÉPARATION : 15 min | CUISSON : 7 min | RENDEMENT : 4 portions

Escalopes de porc à la compote exotique

15 ml (1 c. à soupe)	*Huile de canola ou de tournesol*
4 x 125 g (4 oz)	*Escalopes de porc du Québec de 6 mm ($^1/_4$ po) d'épaisseur*
1	*Oignon tranché mince*
1	*Mangue mûre pelée et grossièrement hachée*
3	*Tomates fraîches coupées en dés*
2 à 5 ml ($^1/_2$ à 1 c. à thé)	*Sauce au piment (de type Tabasco ou thaï)*
30 ml (2 c. à soupe)	*Coriandre fraîche hachée*
Au goût	*Sel et poivre frais moulu*

■ **F**aire chauffer l'huile à feu moyen dans une grande poêle à surface anti-adhésive. Faire revenir les escalopes pendant 1 min de chaque côté. Les retirer, les couvrir et réserver au chaud. ■ **D**ans la même poêle, faire sauter l'oignon pendant 2 min. Ajouter la mangue et les tomates et poursuivre la cuisson encore 2 min. Incorporer ensuite la sauce au piment, la coriandre et les escalopes et réchauffer pendant 1 min. Assaisonner au goût et servir avec du riz basmati.

■ **Note :** Pour réussir les escalopes, les faire dorer à feu moyen, sans les superposer, 1 à 2 min de chaque côté, pas plus !

■ **Variante :** On peut remplacer la mangue par 250 ml (1 tasse) d'ananas broyés en conserve, bien égouttés.

 Trop de femmes ne consomment pas assez de fer. Notez que le fer fourni par les viandes maigres, comme le porc, est beaucoup mieux absorbé par l'organisme que le fer contenu dans les légumes, comme les épinards.

 Chaque portion fournit 300 calories, 33 g de protéines, 15 g de glucides et 12 g de matières grasses.

PRÉPARATION : 15 min | CUISSON : 6 à 12 min | RENDEMENT : 4 portions

Brochettes de porc du jardin

500 g (1 lb)	*Cubes à brochettes (longe ou fesse) de porc du Québec de 3 cm (1 ¼ po)*
250 ml (1 tasse)	*Vinaigrette aux tomates séchées (du commerce)*
2	*Courgettes taillées en morceaux de 5 cm (2 po)*
2	*Épis de maïs précuits et taillés en morceaux de 5 cm (2 po)*
Au goût	*Sel et poivre frais moulu*

▪ **M**élanger les cubes de viande avec la vinaigrette. Couvrir et laisser mariner au réfrigérateur pendant au moins 2 h (maximum 12 h). ▪ **E**nfiler les ingrédients sur des brochettes en métal et poivrer au goût. Griller à chaleur moyenne sur le barbecue, sous le gril du four ou dans une poêle-gril pendant 6 à 12 min. À mi-cuisson, retourner les brochettes à l'aide de pinces et les badigeonner de marinade. Saler à la fin de la cuisson. ▪ **S**ervir avec des pommes de terre en robe des champs et du tzatziki (yogourt à la grecque) parfumé de ciboulette fraîche hachée.

▪ **Variante :** On peut remplacer le maïs et les courgettes par des morceaux de poivron rouge et des petits pâtissons jaunes.

 Pour plus de tendreté, couvrir et laisser reposer les brochettes cuites dans une assiette pendant 1 à 2 min avant de servir.

 Chaque portion fournit 270 calories, 29 g de protéines, 12 g de glucides et 12 g de matières grasses.

Qu'est-ce qu'on mange ?

Porc-burgers au maïs et aux tomates séchées
(recette p. 183)

Crudités (poivron, brocoli, concombre) et trempette au yogourt et au cari

Lait moka fouetté
Chocolat au lait fouetté au mélangeur avec du sirop de crème de café et servi glacé.

Mini kebabs de porc haché aux fruits
(recette p. 179)

Couscous aux graines de sésame et salade composée

Petit gâteau au chocolat et verre de lait

Vichyssoise éclair au babeurre et au concombre

Fouettez au mélangeur des cubes de concombre épépiné, une pomme de terre pelée cuite et du babeurre. Assaisonnez de sel, de poivre et de ciboulette.

Sandwiches roulés à la rémoulade
(recette p. 189)

Grappe de raisins et biscuits à la farine d'avoine

Brochettes de porc du jardin
(recette p. 211)

Fettucines aux fines herbes

Fromage ricotta aux bleuets parfumé au miel

Mélangez du miel avec du fromage ricotta crémeux et servez avec des bleuets frais.

Margarita à la rhubarbe

Passez au mélangeur le jus d'une compote de rhubarbe égouttée, du jus de limette et des glaçons concassés. Servez avec de la tequila dans des coupes au bord décoré de sel.

Escalopes de porc à la compote exotique
(recette p. 209)

Une coupe de porc peu connue, mais une recette si facile à préparer!

Récolte de grelots

Versez un filet d'huile d'olive et de jus de citron sur des pommes de terre grelots cuites.

Rémoulade de fin d'été

Râpez des courgettes crues et des radis. Incorporez de fines lanières de poivron jaune et des lamelles de poire. Liez le tout avec de la mayonnaise relevée d'un soupçon de moutarde de Dijon.

Pêche Melba croustillante

Nappez des demi-pêches, fraîches ou en conserve, de yogourt à la vanille.

Garnissez de quelques fraises, de pistaches ou de noix de Grenoble grillées et hachées et d'un soupçon de cannelle.

Canapés de courgette grillée

Étalez de fines tranches de courgette crue sur du pain tartiné de pesto aux tomates séchées. Recouvrez de fromage râpé et passez sous le gril quelques minutes.

Brochettes de porc exotiques

(recette p. 199)

Saveur et santé sont au menu grâce à ces cubes de porc maigre et à ces généreux morceaux de fruits. Une abondance de nutriments essentiels pour que vous vous sentiez plein d'énergie.

Bulghur aux pacanes et au persil

Un mélange de blé concassé (vous avez le choix entre différents types de blé) garni de pacanes hachées et de persil plat, parfumé d'un soupçon d'huile de noix ou d'olive. C'est une délicieuse façon d'intégrer des céréales au menu.

Mesclun au miel

Un mélange de laitues, légèrement arrosé d'une vinaigrette au miel.

Les laitues les plus foncées sont celles qui fournissent le plus de vitamines.

Bananes endimanchées

Tranches de banane poêlées dans un soupçon de beurre et aromatisées de whisky et de zestes d'orange. Servies sur une boule de yogourt glacé à la vanille, elles concluent un repas qui conjugue saveurs et santé.

sauces
et marinades

PRÉPARATION : 5 min | RENDEMENT : 250 ml (1 tasse)

Marinade teriyaki

125 ml (¹/₂ tasse)   *Sauce soya*
125 ml (¹/₂ tasse)   *Jus d'orange*
15 ml (1 c. à soupe)   *Gingembre frais haché*
1   *Gousse d'ail émincée*

■ **C**ombiner la sauce soya, le jus d'orange, le gingembre et l'ail. Bien mélanger et réfrigérer.

PRÉPARATION : 5 min | RENDEMENT : 180 ml (³/₄ tasse)

Marinade thaï

1   *Citron pressé*
125 ml (¹/₂ tasse)   *Lait de coco*
30 ml (2 c. à soupe)   *Oignons verts hachés*
15 ml (1 c. à soupe)   *Basilic frais haché*
15 ml (1 c. à soupe)   *Gingembre frais haché*
1 ml (¹/₄ c. à thé)   *Piments broyés*

■ **C**ombiner le jus de citron avec le lait de coco, les oignons, le basilic, le gingembre et les piments. Bien mélanger et réfrigérer.

Marinade mexicaine

1	*Enveloppe d'assaisonnement pour tacos*
250 ml (1 tasse)	*Jus de tomate*
15 ml (1 c. à soupe)	*Cassonade*

■ **I**ncorporer l'enveloppe d'assaisonnement au jus de tomate et ajouter la cassonade. Bien mélanger et réfrigérer.

Marinade au cari

250 ml (1 tasse)	*Yogourt nature*
1	*Citron pressé*
5 ml (1 c. à thé)	*Cumin, curcuma, cari et paprika*
de chacun	
1 ml ($^1/_4$ c. à thé)	*Piments broyés*

■ **M**élanger le yogourt au jus de citron. Ajouter le cumin, le curcuma, le cari, le paprika et le piment. Bien mélanger et réfrigérer.

Sauce moutarde

30 ml (2 c. à soupe)	*Huile d'olive*
25 ml (1 $^1/_2$ c. à soupe)	*Oignon haché*
10 ml (2 c. à thé)	*Moutarde en poudre*
30 ml (2 c. à soupe)	*Miel*
15 ml (1 c. à soupe)	*Moutarde de Dijon*
250 ml (1 tasse)	*Bouillon de volaille ou 125 ml ($^1/_2$ tasse) de vin et 125 ml ($^1/_2$ tasse) de bouillon*
15 ml (1 c. à soupe)	*Fécule de maïs délayée dans un peu de bouillon*

■ **F**aire chauffer l'huile à feu moyen dans une poêle à surface antiadhésive. Faire revenir l'oignon haché. Ajouter la moutarde en poudre délayée dans le miel et la moutarde de Dijon et bien remuer. Ajouter le bouillon ou le mélange vin-bouillon et amener à ébullition. Incorporer la fécule délayée et laisser épaissir à feu doux.

Sauce tomate

50 ml (¼ tasse)	Huile d'olive
1	Petit oignon jaune haché
1	Gousse d'ail hachée
2	Tiges de basilic frais (effeuillées et hachées)
500 ml (2 tasses)	Tomates broyées épicées et égouttées (du commerce)
250 ml (1 tasse)	Bouillon de volaille
Au goût	Sel et poivre frais moulu
5 ml (1 c. à thé)	Vinaigre balsamique
15 ml (1 c. à soupe)	Fécule de maïs délayée dans 15 ml (1 c. à soupe) d'eau

■ **F**aire chauffer l'huile à feu moyen dans une poêle à surface antiadhésive. Faire revenir l'oignon, l'ail et le basilic. Ajouter les tomates et le bouillon. Saler et poivrer. Ajouter le vinaigre, porter à ébullition et laisser bouillir pendant 5 min. Incorporer la fécule délayée et laisser épaissir à feu doux.

Sauce aux fruits

10 ml (2 c. à thé)	Beurre
5 ml (1 c. à thé)	Gingembre frais haché
15 ml (1 c. à soupe)	Échalote hachée
50 ml (¼ tasse)	Cassonade
125 ml (½ tasse)	Ananas broyés (du commerce)
250 ml (1 tasse)	Marmelade 3 fruits (du commerce)
15 ml (1 c. à soupe)	Fécule de maïs délayée dans 15 ml (1 c. à soupe) de jus d'orange

■ **F**aire chauffer le beurre à feu moyen dans une poêle à surface antiadhésive. Faire revenir légèrement le gingembre et l'échalote. Ajouter la cassonade, les ananas et la marmelade. Porter à ébullition et laisser chauffer 3 min. Incorporer la fécule délayée et laisser épaissir à feu doux.

Sauce fraîcheur

30 ml (2 c. à soupe)	Huile de canola
1 à 2	Gousses d'ail hachées
30 ml (2 c. à soupe)	Farine
50 ml (¼ tasse)	Vin blanc
50 ml (¼ tasse)	Basilic frais ciselé
75 ml (⅓ tasse)	Épinards frais hachés finement
300 ml (1 ¼ tasse)	Crème à 10 %
45 ml (3 c. à soupe)	Salsa moyenne (du commerce)
Au goût	Sel et poivre frais moulu

■ **F**aire chauffer l'huile à feu moyen dans une poêle à surface antiadhésive. Faire revenir légèrement l'ail. Ajouter la farine et le vin blanc. Incorporer le basilic, les épinards, la crème et la salsa. Faire réduire le mélange du tiers de son volume. Saler et poivrer.

tout ce que vous avez toujours voulu savoir sur les coupes !

Le porc du Québec se déshabille devant vous! Le voilà prêt à tout pour vous convaincre de découvrir son goût hors du commun et toutes ses possibilités... Épaule, longe, flanc et cuisse recèlent une multitude de coupes différentes. Pour les utiliser avec bonheur, vous pouvez consulter l'index des recettes par coupe (p. 275). Mais tout d'abord, découvrez-les, une à une.

La longe

La longe est une grande partie tendre, charnue et maigre qui recouvre le dos du porc. On en tire de très nombreuses coupes, petites et grosses, qui plaisent à tous. On appelle «bout des côtes» la partie de la longe située plus près des épaules et «bout du filet», celle qui est située près des fesses. Bien entendu, le milieu ou centre se trouve entre les deux.

Dans toutes ces parties, le boucher peut faire de belles côtelettes et de tendres rôtis, avec ou sans os. Le carré de porc et la couronne de porc, deux rôtis originaux, proviennent du centre de la longe. Au milieu du dos, de chaque côté de la colonne vertébrale, courent deux longs muscles très tendres : les filets. On peut aussi préparer les tournedos de porc avec la longe, tout comme les côtes levées de dos. Notons que celles-ci sont un peu plus charnues que les côtes levées de flanc.

Voyons d'un peu plus près les différentes coupes...

Les côtelettes

La forme des côtelettes varie légèrement en fonction de l'endroit où le boucher les taille : bout des côtes, milieu de longe ou bout du filet. Généralement, les côtelettes coupées dans le bout du filet sont plus charnues et celles coupées dans les côtes sont pourvues d'un os facile à saisir avec les pinces, que ce soit dans une poêle ou sur la grille du barbecue !

Préférez toujours les côtelettes épaisses, d'au moins 2 cm ($^3/_4$ po). Elles sont beaucoup plus faciles à cuire et conservent toute leur tendreté et leur jus. Si vous n'en trouvez pas au rayon des viandes, demandez au boucher de vous en préparer. Il existe aussi des côtelettes désossées. Une côtelette désossée, fendue dans le sens de l'épaisseur et ouverte comme un livre, s'appelle une côtelette papillon.

Pour une cuisson toujours parfaite, assaisonnez les côtelettes (sauf le sel que vous gardez pour la fin) ou faites-les mariner de 1 h à 2 h. Ensuite, faites-les revenir dans un soupçon d'huile pendant 6 à 12 min selon l'épaisseur. Retournez-les une fois durant la cuisson, en utilisant des pinces afin d'éviter de percer la viande et de perdre ses précieux sucs.

Les côtelettes sont bien sûr délicieuses grillées, dans une poêle-gril à feu moyen-élevé, sous le gril du four déjà bien chaud ou sur le barbecue à chaleur moyenne. Salez au goût après la cuisson. Vous pouvez aussi les découper en morceaux plus petits (languettes, lanières ou cubes) et les faire revenir à feu vif dans une grande poêle ou un wok. Réservez et faites revenir des légumes. Puis ajoutez-les à la viande. Vous obtiendrez un délicieux sauté en moins de temps qu'il n'en faut pour le dire!

Les rôtis de longe

Qu'ils soient coupés dans le bout des côtes (plus près des épaules), dans le milieu de longe (le milieu du dos) ou dans le bout du filet (plus près du derrière), tous les rôtis de longe peuvent être préparés par votre boucher, avec ou sans os. La présence d'un os dans le rôti ne modifie en rien la tendreté ou la saveur de la viande, mais elle peut avoir un léger impact sur la durée de cuisson. Un thermomètre à viande, que vous aurez pris soin d'insérer au cœur du muscle, sans toucher l'os ni le gras, vous permettra d'obtenir un degré de cuisson idéal.

À l'achat, les rôtis de longe présentent en surface une mince couche de gras. Surtout, ne l'enlevez pas avant la cuisson, car elle permet de garder la viande tendre. Dans un soupçon d'huile, faites légèrement dorer votre rôti de tous les côtés, avant de l'enfourner, à découvert, dans un four préchauffé à 160 °C (325 °F). Quelques degrés avant que le thermomètre indique 70 °C (160 °F), retirez la viande du four et laissez-la reposer de 10 à 15 min avant de servir. Pendant ce laps de temps, la température continue de s'élever jusqu'à 70 °C (160 °F) et les jus se répartissent dans toute la viande. Elle sera alors parfaite, tendre et légèrement rosée!

Les rôtis vendus sans os sont «roulés» sur eux-mêmes et ficelés. Cela permet de faire de jolies tranches rondes au moment du service. Gardez le rôti ficelé pendant toute la cuisson et retirez la ficelle avant le découpage. On peut aussi transformer un rôti de longe en délicieux cubes à brochettes ou en languettes pour faire de tendres sautés minute.

Le carré de porc, un rôti prestigieux, sera plus facile à découper si vous demandez à votre boucher de couper l'os du dos entre les côtes. Profitez-en pour lui faire nettoyer les extrémités des côtes. Pour plus d'originalité, roulez le carré en forme de couronne. En son centre, mettez des légumes et des fruits pour aromatiser la viande. Après la cuisson et le temps de repos, coupez tout simplement le rôti entre les côtes, dans la chair tendre. Vous trouverez dans ce livre plusieurs recettes qui mettent en vedette cette coupe royale!

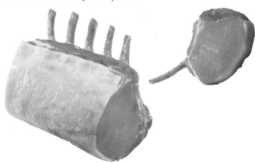

Le filet

Très tendre et doté d'un grain très fin, le filet de porc est une pièce de choix. Il s'agit en fait du long muscle étroit qui court de part et d'autre de l'échine, sur le dessus de la longe. Comme c'est une pièce relativement petite et qu'il n'y en a que deux par animal, le filet est donc un peu plus cher que les autres parties du porc. Malgré cela, comme il n'y a aucune perte au moment de la préparation, le coût par portion demeure très raisonnable. De plus, à tendreté égale, le filet de porc coûte vraiment moins cher que le filet de bœuf ou de veau.

Le muscle du filet est en réalité si effilé que le boucher le taille habituellement en deux, à mi-longueur. La taille et le poids des filets vendus au rayon des viandes fraîches peuvent facilement varier du simple au double. On trouve des petits morceaux d'environ 300 g (10 oz) et des gros de plus de 625 g (1 $\frac{1}{4}$ lb). Il est rare que les filets de porc du Québec soient gros, car les producteurs préfèrent offrir la viande d'animaux plus jeunes.

Pour le filet, une courte cuisson fera des merveilles. Si vous choisissez de le faire rôtir entier à 190 °C (375 °F), faites comme pour un mini rôti et munissez-vous d'un thermomètre à viande. Lorsque le centre du muscle atteint 70 °C (160 °F), le filet est prêt. Laissez-le reposer 2 ou 3 min avant de le tailler. La viande vous fondra dans la bouche.

La forme du filet de porc en fait aussi une viande crue très facile à découper. Dans la partie la plus grosse, on taillera des tournedos savoureux, alors que des tranches découpées dans la partie plus effilée donneront des médaillons.

L'épaule

Dans l'épaule de porc, le boucher fait plusieurs coupes généreuses. Cette grande partie avant se divise en deux morceaux principaux : le soc (ou paleron) et l'épaule dite «picnic».

Avec le soc, on prépare habituellement des rôtis, avec ou sans os. Cette partie est aussi vendue fumée, soit le soc roulé fumé parfois appelé «jambon cottage». Le rôti d'épaule picnic, avec ou sans os, peut lui aussi être fumé ; on l'appelle alors «jambon picnic». L'épaule se vend aussi fraîche sous forme de cubes à braiser ou de porc haché.

La viande d'épaule est excellente lorsqu'elle est braisée ou mijotée dans un liquide aromatique (vin, bière, bouillon, etc.). Une heure suffit pour obtenir une chair parfumée et fondante.

**Voyons d'un peu plus près
les différentes coupes...**

Les cubes

Votre boucher peut vous proposer plusieurs sortes de cubes de porc, taillés dans l'épaule ou dans la cuisse (la fesse). Puisque ces parties présentent des fibres différentes (c'est ce que l'on appelle le grain de la viande), il vous faudra bien choisir le mode de cuisson approprié à chacune des coupes pour les consommer à leur meilleur.

Les cubes d'épaule d'environ 2,5 à 3,5 cm (1 à 1 ½ po) font les meilleurs mijotés du monde. Une douce cuisson humide vous donnera alors une viande fondante et savoureuse. Faites-les d'abord revenir dans un soupçon d'huile bien chaude, assaisonnez et recouvrez d'un liquide aromatique (vin, bière, bouillon, etc.) ou d'eau. Couvrez et laissez mijoter à feu doux pendant 30 min. Ajoutez des légumes et poursuivez la cuisson encore 30 min.

Les tranches et les rôtis d'épaule

C es coupes font de savoureux plats braisés. Faites d'abord dorer la pièce de viande dans un peu d'huile chaude. Ajoutez 250 à 500 ml (1 à 2 tasses) de liquide, selon votre inspiration. Couvrez et laissez mijoter à feu doux ou au four à 160 °C (325 °F), de 45 à 55 min pour 500 g (1 lb) de viande. Pour un rôti, laissez un temps de repos suffisant à la viande (10 à 15 min) avant de la découper en tranches tendres et juteuses.

Vous pouvez aussi découper en languettes ou en « doigts » un rôti d'épaule. Faites mijoter les languettes une courte demi-heure pour conserver leur jus et maximiser leur tendreté.

Le porc haché

P rêt à mélanger et à façonner de mille et une manières, le porc haché représente la coupe polyvalente par excellence! En réalité, il existe plusieurs types de porc haché qu'il est fort pratique de connaître lorsqu'on planifie ses achats et la préparation des repas. Les différentes appellations de viande hachée sont établies par le gouvernement fédéral et indiquent fidèlement leur teneur en matières grasses.

Le porc haché mi-maigre trouve place au rayon des viandes fraîches depuis quelque temps déjà. Le boucher le prépare habituellement avec de l'épaule fraîche. Ce type de porc haché convient parfaitement aux mets à base de viande où il faut faire rissoler les ingrédients, par exemple, les sauces à la viande, les boulettes rôties au four ou encore les Cretons maison (p. 77).

Le porc haché maigre devient maintenant la vedette au rayon du porc! Pour le préparer, le boucher peut choisir la fesse fraîche de porc ou l'épaule très bien parée de son gras. Cette viande hachée est absolument délicieuse pour cuisiner des porc-burgers, des boulettes grillées, des pains de viande, des tourtières et autres pâtés en croûte, du pâté chinois ou des plats mexicains comme le Chili (essayez celui de la p. 29) et les tacos.

Le porc haché extra-maigre représente un choix de viande vraiment très maigre, qui répond aux impératifs culinaires de certaines recettes. Ce type de porc haché provient de la fesse minutieusement parée de son gras. Comme il s'agit d'une viande très maigre, on l'utilisera comme farce dans les paupiettes, les légumes et les volailles fines (les cailles, par exemple), aliments qui serviront «d'emballage» et qui préserveront l'humidité de la viande. Il sera également savoureux dans les hors-d'œuvre chauds tels que les tartelettes et les mini feuilletés, car le beurre de la pâte maintient l'ensemble bien moelleux. Les parents aimeront aussi le porc haché extra-maigre pour préparer les purées de leurs bambins.

La cuisse (ou fesse)

Le porc a la cuisse généreuse! Elle contient de nombreuses coupes. Les plus grosses pièces, les rôtis, sont habituellement vendues désossées. Parmi ces coupes, il y a l'intérieur de ronde, l'extérieur de ronde et la pointe de surlonge, trois dénominations qui correspondent aux trois grands muscles de la cuisse. On peut aussi se procurer la pointe de surlonge et l'intérieur de ronde sous forme de tranche ou bifteck.

On peut trancher mince l'intérieur de ronde pour obtenir une escalope, dont on fera parfois des paupiettes (des escalopes roulées et farcies). Voici d'autres petites coupes populaires : la brochette (gros cubes juteux), le souvlaki (petits cubes marinés) et les languettes, lesquelles sont parfaites sautées ou présentées en satays.

On ne saurait clore ce sujet sans parler de jambons, bien sûr! Le jambon appelé... «jambon» est vendu avec son os, alors que le jambon dit «toupie» est désossé.

**Voyons d'un peu plus près
les différentes coupes...**

L'escalope

L'escalope de porc est une belle tranche mince de forme allongée et régulière, que le boucher taille habituellement dans la cuisse. On peut aussi acheter, ou préparer soi-même, des escalopes découpées dans la longe.

Tranchée de biais dans le grain de la viande, l'escalope est facile à mastiquer, absolument dépourvue de gras visible, et surtout facile à cuire et vite préparée. Achetez des escalopes de 6 mm ($^1/_4$ po) d'épaisseur : trop minces, trop épaisses ou inégales, elles seront difficiles à manipuler et à faire cuire.

Faut-il aplatir ou non les escalopes ? Lorsqu'elles sont bien taillées, les escalopes sont très tendres et n'ont pas besoin d'être attendries. Par contre, si vos escalopes sont trop épaisses ou d'épaisseur inégale, placez-les entre deux pellicules plastique et écrasez-les en frappant avec un maillet. Elles cuiront ainsi plus rapidement.

Pour un chef expérimenté comme pour un cuisinier débutant, les escalopes de porc sont faciles à apprêter. Faites-les revenir dans un soupçon d'huile, pendant 2 à 3 min, et dégustez-les ensuite nature ou relevées d'une sauce pleine de personnalité, comme la compote exotique de la recette de la p. 209. Vous pouvez aussi les farcir avec de fins morceaux de légumes ou de fruits, avec du fromage ou avec une farce de porc haché maigre. Ainsi garnies et ficelées en petits paquets, on les appelle «paupiettes».

Les brochettes

Les coupes de porc utilisées pour les brochettes sont de taille et de provenance diverses. Comme les morceaux sont piqués en leur milieu, il est facile de les retourner de tous les côtés pour les exposer à une chaleur vive et sèche qui les grille à merveille.

La fesse donne de beaux et généreux cubes pour les kebabs (2,5 à 3,5 cm, soit 1 à 1 $^1/_2$ po) et des petits cubes à faire mariner et griller pour les déguster en sandwiches (souvlakis et autres : 2 à 2,5 cm, soit $^3/_4$ à 1 po).

Les languettes et les lanières

Les languettes peuvent être taillées dans différentes parties du porc et se prêtent à une foule de cuissons et de préparations. Faciles à trouver au rayon des viandes fraîches, les languettes sont habituellement taillées dans la fesse et mesurent environ 1 cm ($^1/_2$ po) de largeur et 12 à 15 cm (5 à 6 po) de longueur. En les taillant, le boucher place son couteau en biais avec le grain de la viande afin que les languettes soient faciles à couper et à mastiquer. Et comme la fesse de porc est une partie extra-maigre, les plats cuisinés avec les languettes sont sains, nutritifs et très digestes.

Savourez vos languettes marinées puis sautées, accompagnées de riz, de pâtes ou de salade croquante, ou enveloppées dans une tortilla ou un pain pita pour en faire un sandwich séduisant. Vous pouvez aussi les enrober de chapelure, de céréales broyées ou de pâte tempura avant de les plonger dans la friture. Enfin, si vous aimez les plats mijotés, roulez les languettes dans la farine et faites-les revenir dans un peu d'huile chaude. Puis, faites-les mijoter dans un liquide bien relevé. La farine épaissira le jus de cuisson qui deviendra une délicieuse sauce.

Les tranches
(intérieur de ronde, pointe de surlonge)

On peut aussi trancher et désosser la fesse. L'intérieur de ronde ainsi que la pointe de surlonge sont présentées de cette manière au rayon des viandes. Choisissez toujours des tranches d'au moins 2 cm (³/₄ po) d'épaisseur pour obtenir une cuisson uniforme.

Ces tranches sont habituellement très économiques tout en étant des plus savoureuses. En effet, les muscles de l'animal qui travaillent plus gagnent en saveur ce qu'ils perdent en tendreté. Lorsqu'on connaît quelques trucs pour attendrir la viande, comme la marinade, il est facile de transformer ces « steaks » en véritable repas de roi.

Comme base attendrissante d'une marinade, utilisez du vin, du jus de fruits ou du vinaigre aromatisé. Complétez votre marinade maison par une huile parfumée, ainsi que des aromates et des condiments de toutes sortes. Deux à 12 h dans la marinade au réfrigérateur suffisent pour préparer la viande. Vous pouvez ensuite la cuire sur le barbecue, sous le gril du four ou la faire sauter à la poêle.

Les tranches de fesse donnent aussi des plats succulents quand on les braise. Faites cuire tout doucement votre pièce de viande dans une petite quantité de liquide goûteux : bière, bouillon, sauce tomate, vin ou jus de fruits. Couvrez et laissez mijoter à feu doux ou dans un four à 160 °C (325 °F) pendant 30 à 40 min environ.

Les jarrets

Comme le porc a des pattes courtes mais bien musclées, ses jarrets constituent une généreuse portion de viande. On les trouve facilement frais ou surgelés. À l'achat, ils donnent l'impression d'être enrobés de gras. En réalité, la couenne et le gras qui entourent la viande se détachent d'eux-mêmes à la cuisson.

La viande des jarrets est parfaite pour confectionner des plats mijotés, comme le traditionnel Ragoût de pattes (p. 99). Une cuisson humide et lente transforme le tissu conjonctif qui recouvre les muscles en un savoureux jus de cuisson. Celui-ci se transforme en gélatine en refroidissant. Cette «fonte» du tissu donne une viande fondante.

Si vous ne trouvez que des jarrets entiers, demandez à votre boucher de les trancher. Vous pourrez alors faire de ces tranches un délicieux osso porco, une variante de l'osso buco traditionnellement préparé avec du veau. Mais saviez-vous que l'expression osso buco veut dire «os à trou»? Il y a, en effet, à l'intérieur du jarret un os rempli de moelle, un délice pour les connaisseurs.

Le flanc

Le flanc est le ventre du porc et, comme chez l'humain, il s'agit d'une partie un peu plus grasse que le reste! On estime qu'environ 75% de tous les flancs de porc (dans leur partie la plus grasse) servent à la préparation de bacon, alors que 25% deviennent du lard salé (les délicieux petits lardons dans les fèves au lard ou le bœuf bourguignon!). On taille aussi, dans cette partie du porc, des côtes levées de flanc. En fait, ce sont les très célèbres *spare ribs* des restaurants chinois.

Voyons d'un peu plus près
les différentes coupes...

Les côtes levées

Qu'elles soient de flanc ou de dos, les côtes levées sont toutes les mêmes, puisqu'elles sont placées, sur l'animal, les unes à la suite des autres. On dit des côtes qu'elles sont levées, parce que le boucher les a *prélevées* du reste de la carcasse. Les côtes levées encore assemblées forment ce que l'on appelle un train de côtes, mais on les trouve souvent déjà taillées en morceaux de 4 à 6 côtes au rayon des viandes. Lorsque l'os du sternum est enlevé, il est très facile de séparer soi-même les côtes, en taillant dans la chair, entre les os.

Les côtes de flanc, dont l'essentiel de la viande se trouve entre les os, sont habituellement vendues plus longues que les côtes de dos. Une exception notable : les célèbres côtes levées des restaurants chinois, caramélisées telles de véritables friandises ! Par ailleurs, les côtes levées de dos ont une bonne épaisseur de viande sur les os, en plus de la chair qui se trouve entre chacun d'eux.

La chair des côtes levées convient parfaitement à une cuisson humide et prolongée. Cette viande contient en effet du tissu conjonctif qui, lorsqu'il est cuit doucement à chaleur humide, fond littéralement et attendrit la viande. C'est pour cette raison, d'ailleurs, qu'on déguste habituellement les côtes levées enrobées de la sauce dans laquelle elles ont mijoté ou avec laquelle on les a badigeonnées.

Selon le temps dont vous disposez, vous pouvez faire griller vos côtes levées ou bien les faire cuire en sauce au four. Les deux méthodes donnent d'excellents résultats. Pour des côtes levées grillées, prévoyez d'abord 30 à 45 min de cuisson dans un liquide à feu doux. Faites-les ensuite griller 5 à 6 min de chaque côté, sur le barbecue ou sous le gril du four, en les badigeonnant régulièrement de sauce. Si vous préférez une cuisson au four, commencez par faire rôtir vos côtes dans une rôtissoire non couverte pendant environ 30 min, à 230 °C (450 °F). Égouttez ensuite le gras, recouvrez les côtes de sauce, couvrez et poursuivez la cuisson à feu plus doux, soit à 170 °C (350 °F) pendant environ 1 $^1/_2$ heure.

Il est possible, avec un peu de dextérité, de manger les côtes levées en utilisant une fourchette et un couteau bien coupant, mais la plupart des amateurs préféreront les manger avec leurs doigts pour ne rien perdre. Sans compter que se lécher les doigts fait partie du plaisir!

les trucs et les conseils du chef

N ous avons réuni de précieux trucs et conseils pour vous guider dans la préparation, la conservation, la cuisson et le service de la viande de porc. Plongez sans hésiter dans ce vaste univers gourmand : le cuisinier qui sommeille en vous en sera ravi!

Conservation

Objectif fraîcheur

Aujourd'hui, la viande de porc du Québec est tout à fait saine. Pour préserver sa grande qualité, quelques précautions toutes simples s'imposent. Ainsi, lorsque vous faites vos emplettes, achetez la viande fraîche en dernier, afin de ne pas l'exposer à la température ambiante trop longtemps, surtout pendant la saison chaude. Dès votre arrivée à la maison, mettez-la au réfrigérateur sans tarder, dans la section la plus froide.

Si la viande a été emballée dans du papier brun, changez cet emballage pour une pellicule plastique, du papier d'aluminium ou un sac en plastique à fermeture hermétique, afin d'éviter que la viande ne sèche. Si vous souhaitez la conserver congelée pour plus de deux semaines, assurez-vous alors d'utiliser un emballage résistant, spécialement conçu pour la congélation.

Conservation pour un temps limité

Bien emballée, la viande conserve sa qualité au réfrigérateur ou au congélateur. Pour vous assurer d'une fraîcheur optimale, respectez les durées de conservation recommandées.

DURÉE DE CONSERVATION

Coupe	Au réfrigérateur	Au congélateur
FRAÎCHE	NOMBRE DE JOURS	NOMBRE DE MOIS
Rôti, côtelettes, cubes	2 à 3	3 à 6
Escalopes, languettes, porc haché	1 à 2	1 à 3
Saucisses	2 à 3	2
TRANSFORMÉE	NOMBRE DE JOURS	NOMBRE DE MOIS
Saucisson sec	3 à 7	1 à 2
Jambon entier	3 à 4	2
Bacon	7	1

L'art de la décongélation

Il est bien pratique de conserver quelques coupes de porc bien emballées dans le congélateur pour mieux planifier ses menus. La transition entre les états «congelé» et «cuit» doit cependant être effectuée dans de bonnes conditions afin que vous puissiez bénéficier de toute la saveur et de la fraîcheur de la viande. Ainsi, les viandes congelées devraient toujours être décongelées au réfrigérateur, sinon, la température de la viande à la surface grimpe trop. Cela peut provoquer une prolifération bactérienne, et ce, même si le centre du morceau de viande est encore bien gelé.

TEMPS DE DÉCONGÉLATION AU RÉFRIGÉRATEUR

Rôti de plus de 1 kg (2 lb)	4 à 7 h par 500 g (1 lb)
Rôti de moins de 1 kg (2 lb)	4 à 6 h par 500 g (1 lb)
Côtelettes, escalopes, tournedos, languettes, cubes et tranches, en paquets	5 à 8 h
Porc haché en paquet de 1 kg (2 lb)	8 à 10 h
Porc haché en paquet de 500 g (1 lb)	3 à 4 h

Bien entendu, on peut laisser décongeler la viande plus longtemps sans danger, puisqu'elle reste bien froide au réfrigérateur. Et si vous avez oublié de sortir la viande du congélateur, sachez que l'eau froide et le micro-ondes peuvent vous venir en aide!

Pour la méthode à l'eau, assurez-vous d'abord que la viande est placée dans un sac vraiment hermétique. Plongez-le dans un grand bol d'eau froide. Changez l'eau toutes les demi-heures, en calculant 1 h par kg (2 lb).

Pour la méthode au micro-ondes, lisez les instructions du fabricant. Cependant, comme la décongélation au moyen de cette méthode est inégale, faites toujours cuire la viande immédiatement après.

Dans le cas d'un plat mijoté, vous pouvez rajouter des petits morceaux encore congelés au liquide chaud de la recette. Rallongez le temps de cuisson en conséquence et remuez souvent pendant la décongélation. Un conseil: n'enfournez jamais un rôti encore congelé, vous obtiendriez à la fin de la cuisson un morceau de porc séché!

Les plats cuisinés :
congelez maintenant et dégustez plus tard!

Faire une recette en double et en congeler la moitié pour plus tard est un excellent truc pour sauver du temps. Souvent, cela ne demande pas plus de préparation ou de cuisson. Et savoir que l'on peut compter ensuite sur des plats tout prêts est une vraie bénédiction!

Pour préserver le maximum de saveur et de fraîcheur aux préparations que l'on veut congeler, il est important de les refroidir rapidement. Divisez les grosses quantités dans des contenants plus petits pour faciliter le refroidissement, avant de les mettre au congélateur. Utilisez des contenants hermétiques, que vous remplirez presque à ras bord, afin d'empêcher le dessèchement des aliments.

Au moment de congeler, notez le contenu et la date sur les contenants. Ainsi, vous saurez toujours quand les utiliser. Dans un congélateur en bonne condition, les plats cuisinés congelés se gardent sans problème de 2 à 3 mois.

Préparation

Attention à la contamination croisée!

Choisir des aliments de qualité, les conserver bien emballés au froid, puis les faire cuire à la température recommandée : voilà trois bons moyens d'avoir une viande saine. Mais est-ce suffisant sur le plan de la salubrité? Oui, si vous prenez soin aussi d'éviter la contamination croisée!

Les viandes crues, même très fraîches, sont en effet susceptibles de porter des bactéries en surface. Une cuisson conforme aux recommandations élimine sans problème ces éventuelles bactéries. Par contre, l'assiette dans laquelle vous avez placé la viande crue ne sera pas cuite, elle! Si vous vous en servez pour déposer un morceau cuit, vous risquez de re-contaminer la viande : c'est ce que l'on appelle la contamination croisée.

De la même manière, les ustensiles (pinces, couteaux, planche à découper, etc.) utilisés pour manipuler ou couper la viande crue devraient toujours être lavés à l'eau chaude savonneuse avant d'être réutilisés. De plus, lorsque vous badigeonnez une brochette, une côtelette ou des côtes levées avec un pinceau ayant touché la viande crue, laissez cuire cette couche de sauce pendant quelques minutes avant de retirer la pièce de viande et de la consommer. Ce réflexe s'acquiert facilement et peut éviter bien des ennuis!

Du porc tout à fait « sauté »

Ingénieuse, la technique du sauté permet de créer rapidement un plat savoureux avec des ingrédients que l'on trouve toujours au réfrigérateur : un ou deux oignons, quelques branches de céleri, deux ou trois carottes et un assaisonnement judicieux transformeront une simple coupe de porc en un repas généreux! Laissez aller votre imagination en suivant ces quelques conseils...

Les morceaux de porc découpés dans la longe (médaillons de filet, lanières de côtelette et petits cubes) sont parfaits pour les sautés. Ils resteront tendres et juteux. Pour les coupes provenant de la fesse ou de l'épaule, faites d'abord mariner les morceaux pendant 2 h (maximum 12 h) et égouttez-les soigneusement avant de les faire sauter.

Pour réussir un sauté, le choix de la poêle est important. Choisissez-la suffisamment grande pour créer un bon contact avec l'élément chauffant. En effet, les aliments doivent pouvoir cuire en une seule couche, en contact avec le fond de la poêle. Une trop grande quantité d'aliments favoriserait la formation de vapeur et empêcherait de les saisir efficacement. Si votre poêle n'est pas assez grande, faites plutôt sauter les aliments en plusieurs fois. De plus, rappelez-vous qu'une poêle à fond épais conserve davantage de chaleur qu'une poêle à fond mince. Ainsi, lorsque vous ajoutez des aliments froids dans la poêle, la variation de température est moins importante et les aliments sont saisis plus rapidement.

Par ailleurs, attendez que la poêle et le gras de cuisson soient bien chauds avant d'y faire saisir la viande et les légumes. Une chaleur trop faible libère l'eau contenue dans les aliments et risque de transformer votre plat en bouillie. Une température suffisamment élevée caramélise la surface des morceaux d'aliments et permet à l'eau de s'évaporer rapidement.

Finalement, épongez toujours les morceaux de viande et de légumes avec du papier absorbant avant de les déposer dans la poêle bien chaude. Vous obtiendrez ainsi une petite couche dorée à la surface des aliments et vous éviterez que l'huile chaude ne vous éclabousse.

Les tendres plats mijotés

Lorsque le vent froid siffle, les plats mijotés sont toujours réconfortants. Vite préparés, ils embaument la cuisine d'un doux fumet qui donne envie de se mettre à table. Vous les réussirez à tous coups grâce à ces quelques conseils.

Les cubes de porc provenant de l'épaule seront très tendres en moins de 1 h. Par ailleurs, les cubes provenant de la fesse sont aussi très savoureux, mais ils gagneront en tendreté s'ils ont séjourné dans une marinade à base de vin, de vinaigre ou de jus de citron pendant au moins 2 h (maximum 12 h).

Pour un plat mijoté onctueux, enfarinez d'abord les cubes de porc en prenant soin de bien secouer l'excédent de farine, puis faites-les dorer dans un soupçon d'huile chaude. Cette simple étape remplace la préparation d'un roux classique et vous évite d'ajouter un épaississant à la fin de la cuisson. Faites ensuite revenir les cubes de porc pendant quelques minutes. Cette technique permet de caraméliser et de sceller les sucs de la viande pour obtenir un maximum de saveur. Pour cela, utilisez une grande casserole et attendez que la casserole et le gras de cuisson soient bien chauds avant d'y faire saisir la viande. Une surface de cuisson assez étendue permet aux cubes de bien dorer (et non de bouillir), lorsque vous les faites sauter.

Finalement, couvrez votre viande d'un liquide aromatique (vin, bière, etc.) ou d'eau, amenez à ébullition, réduisez le feu et faites doucement mijoter au plus 1 h. Toute la maison embaumera... De quoi réchauffer tous les cœurs!

Et n'oubliez surtout pas que les plats mijotés se congèlent bien et peuvent vous dépanner. Congelés en petites portions dans des contenants hermétiques, ils seront prêts à être décongelés et réchauffés à l'heure du lunch.

Escalopes de porc endimanchées

Des invités arrivent à l'improviste? Transformez en un rien de temps des escalopes de porc en petits chefs-d'œuvre en les garnissant avec une savoureuse préparation de votre choix.

Servez-vous d'escalopes étroites et enroulez-les sur de petits bouquets d'asperge, des bâtonnets de courgette, des lamelles de champignon ou des poivrons multicolores cuits *al dente*. Déposez les escalopes ainsi enroulées dans une poêle chaude et la viande cuira en adoptant la forme que vous lui aurez donnée.

Vous pourriez aussi déposer au centre d'une escalope une farce à base de fruits, de légumes, de viande hachée, de champignons, de noix ou d'herbes, farce que vous aurez liée avec du fromage ou un œuf. Repliez l'escalope pour enrober complètement la préparation. Pour une paupiette, déposez quelques cuillerées de farce sur une grande escalope, puis attachez le tout avec de la ficelle. Si vous ne mettez qu'une seule cuillerée de farce au centre de l'escalope, vous n'aurez pas à la ficeler : refermez-la alors comme un chausson, en pressant tout autour les rebords de l'escalope pour les faire adhérer ensemble.

Comme c'est bon de glacer son cochon!

La viande de porc cuite sous une savoureuse glace fait le bonheur des gourmands, petits et grands. Qu'il s'agisse de côtes levées, de brochettes satay, d'un rôti ou d'un filet, la chair tendre enfermée dans cette préparation croustillante nous ferait faire des bassesses!

Pour bien adhérer à la viande, la glace doit avoir la texture d'un sirop épais. Voici quelques idées qui sauront vous mettre l'eau à la bouche.

SUGGESTIONS DE GLACES

Ingrédients de base pour une glace	Aromates complémentaires
Miel crémeux et soupçon de porto	Poivre noir concassé avec sauge, menthe ou romarin séché
Sauce Chili et sucre brun	Piment de la Jamaïque, piments forts et coriandre fraîche
Vin apéritif et marmelade d'oranges	Thym séché et moutarde à l'ancienne
Confiture d'abricots et Amaretto	Cardamome moulue et échalotes hachées
Beurre d'érable et vinaigre de cidre	Ail, gingembre moulu et oignons verts hachés fin

Il est facile de réussir cette cuisson : enrobez d'abord le porc d'une glace goûteuse et bien collante, faites ensuite rôtir au four pour caraméliser et, finalement, terminez par quelques minutes sous le gril du four pour bien colorer la viande. Ainsi glacé, le porc s'accompagne de mets tout simples, comme du riz basmati et des légumes cuits à la vapeur.

Les enrobages d'épices : des marinades « sèches »

Les marinades et les sauces rehaussent merveilleusement la saveur des grillades. Mais connaissez-vous la méthode qui consiste à frotter la viande d'un mélange d'assaisonnements avant de la griller sur le barbecue ou sous le gril du four ? Les résultats sont si délicieux que vous deviendrez sans doute un fervent amateur de cette méthode dès les premiers essais.

Réunissez trois ou quatre ingrédients aromatiques de votre choix, moulus grossièrement, comme du poivre, des graines de moutarde, de cumin, de sésame ou de fenouil, des flocons de piment fort, des épices moulues (cannelle, gingembre ou muscade), des fines herbes ou des oignons séchés, ou même des noix moulues, du zeste d'agrumes haché ou des champignons séchés émiettés finement. Laissez de côté le sel, que vous ajouterez plutôt après la cuisson. Frottez toutes les faces de la viande de ce mélange et, si vous en avez le temps, laissez celle-ci au réfrigérateur pendant quelques heures pour qu'elle s'imprègne des différents parfums.

Voilà une façon d'aromatiser la viande tout en lui donnant, à la cuisson, une croûte en surface, qui conserve tous les sucs. De plus, on peut préparer ces mélanges en grandes quantités. Vous en aurez toujours sous la main pour improviser des grillades !

Un rôti farci... de bonnes idées!

Pour recevoir parents et amis, rien ne vaut un rôti de porc farci. Tout simple à préparer, votre rôti sera d'un chic fou lorsque vous le découperez devant vos invités. D'autant plus que la farce peut bonifier encore la saveur et la tendreté de la viande. Des légumes aromatiques, des fruits parfumés, combinés ou non à de la viande hachée, des graines, des noix, des herbes ou autres condiments assaisonnent le rôti de l'intérieur et contribuent à l'aider à conserver son jus.

L'une des méthodes classiques pour farcir consiste à tailler la pièce de viande en spirale, à l'aide d'un grand couteau, de manière à ouvrir le rôti à plat. On étale ensuite la farce sur la face interne du rôti, puis on enroule la viande et on ficelle le rôti avant de le mettre dans la rôtissoire.

Si vous êtes à court de ficelle (ou à court de temps), il existe une autre méthode qui permet de farcir un rôti sans avoir à l'ouvrir. Choisissez un couteau muni d'une longue lame étroite et percez le rôti en plein centre, sur toute sa longueur. Retirez le couteau, puis percez de nouveau le rôti en introduisant la lame à angle droit avec la première entaille. La longue coupure sera donc en forme de croix. Farcissez ensuite votre rôti en poussant le mélange par les deux extrémités. Comme la viande est souple, elle fera place sans difficulté à une bonne quantité de farce.

Mais qu'allez-vous mettre au cœur de votre belle et tendre pièce de viande? Voici quelques idées.

SUGGESTIONS DE FARCES

La boisée	Poireaux et champignons sautés avec du bacon émietté
L'abricotée	Échalotes et abricots séchés hachés, liqueur d'amande pour mouiller
La gaillarde	Fromage bleu émietté, dés de poire, pacanes grillées
L'italienne	Prosciutto, noix de pin rôties, bulbe de fenouil haché et persil italien
La belge	Chair à saucisse de Toulouse, pommes vertes et oignons hachés, bière pour humecter
La piquante	Mangue, coriandre et piment fort hachés

Les rôtis farcis prennent un peu plus de temps à cuire que les rôtis non farcis, parce qu'ils sont plus gros. Utilisez toujours un thermomètre à viande pour vous assurer d'atteindre le degré de cuisson parfait. Piquez bien le thermomètre dans le muscle et non dans la farce. Quelques degrés avant que le mercure n'atteigne 70 °C (160 °F), retirez votre rôti du four et laissez-le reposer au chaud pendant 10 à 15 min pour permettre au jus de se répartir dans toute la viande. La température continuera alors de s'élever jusqu'à 70 °C (160 °F), soit la température où votre rôti sera à son meilleur, tendre et rosé!

Cuisson

Cuisson en milieu humide

Une douce cuisson dans un liquide fait des merveilles pour la tendreté et la succulence des coupes de porc taillées dans l'épaule ou le flanc, et même dans la fesse. Les experts recommandent toujours un lent mijotage plutôt qu'une forte ébullition, car une température excessive durcit la viande au lieu de l'attendrir. De plus, n'oubliez pas votre plat sur le feu : 1 h tout au plus. Une cuisson exagérée rend les viandes filandreuses.

Grillez avec succès

La saison du barbecue est malheureusement bien courte au Québec! Pour patienter jusqu'aux mois doux, on peut aisément préparer ses recettes préférées de cuisson au barbecue à l'intérieur de la maison, grâce au four de la cuisinière. Il suffit alors de cuire sous le gril. Ce sont les radiations de chaleur de l'élément chauffant qui permettent alors de griller les aliments, et non la température à l'intérieur du four. D'où l'importance d'approcher la viande de 5 à 8 cm (2 à 3 po) de l'élément supérieur.

Par ailleurs, lorsqu'on grille un aliment dans le four, il est important de garder la porte entrouverte. Sinon, la température du four grimpera et provoquera l'arrêt de l'élément chauffant, donc l'arrêt des radiations et du grillage de la viande. Laisser la porte entrouverte force l'élément à rester bien rouge. De plus, la vapeur peut ainsi s'échapper, ce qui permet de griller à chaleur vive et sèche.

Cuisson du rôti de porc

Pour obtenir un rôti de porc tendre, juteux et doré à la surface, faites-le d'abord revenir quelques minutes dans une petite quantité d'huile à feu moyen-élevé. Puis, assaisonnez la viande à votre goût (en la saupoudrant d'épices ou en l'enrobant d'un mélange à base de moutarde, par exemple). Versez une petite quantité de liquide (bouillon, vin, jus de fruits, etc.) dans la rôtissoire avant d'enfourner votre rôti et vérifiez en cours de cuisson s'il est nécessaire d'en rajouter.

Pour vous assurer d'une cuisson toujours parfaite, faites comme tout chef qui se respecte et utilisez un thermomètre à viande! Avant la cuisson, vous le piquerez au cœur de la chair, en évitant de toucher un os ou du gras. Quelques degrés avant que le mercure n'atteigne 70 °C (160 °F), retirez le rôti du four et laissez-le reposer bien couvert, au chaud, pendant 10 à 15 min. La température continuera alors de s'élever jusqu'à 70 °C (160 °F), soit la température où votre rôti sera à son meilleur, tendre et rosé!

À titre d'indice visuel (et en l'absence de thermomètre), voici quelques précisions utiles concernant la cuisson des petites coupes de porc. À 70 °C (160 °F), le jus de la viande de porc est clair, ce qui indique que la viande est suffisamment cuite. Entre 70 et 72 °C (160 et 165 °F), la couleur de la chair passe délicatement du rose au beige pâle.

Respectez le temps de repos

La chaleur intense du four ou de la poêle fait que la viande se contracte. Lorsqu'on lui donne le temps de se reposer après la cuisson, la chair se détend et les jus se répartissent de façon égale dans toute la pièce de viande. Ainsi, quand vous la découpez, le jus ne fuit pas dans l'assiette, mais il contribue plutôt à rendre chaque bouchée tendre et juteuse.

Pour les petites coupes (escalopes, côtelettes, languettes, tournedos), 2 à 3 min à couvert sont suffisantes, pour le filet entier, de 5 à 10 min et pour les rôtis, de 10 à 15 min.

Apprêtez les restes de rôti de porc

Vous souhaitez apprêter les restes d'un rôti de porc? Pour obtenir une chair tendre et juteuse, réchauffez brièvement le rôti, tranché ou non, dans une petite quantité de liquide : sauce, bouillon, jus de fruits, confiture diluée avec un peu d'eau, de bière ou de vin. Utilisez une poêle couverte ou un plat allant au four et muni d'un couvercle, ou encore du papier d'aluminium ou du cellophane, selon que vous réchauffez la viande au four conventionnel ou au micro-ondes. Tendreté garantie ! Bien entendu, le rôti de porc se déguste aussi froid.

Réchauffez les restes au micro-ondes

Les recettes de porc en sauce font de superbes restes à déguster à l'école ou au travail. Souvent, le seul appareil électroménager dont on dispose pour réchauffer le repas du midi est un micro-ondes. Comme la puissance des fours varie beaucoup, la règle d'or est de ne pas surcuire par mégarde. Couvrez votre plat d'un couvercle non scellé, d'une feuille de papier absorbant ou d'une pellicule plastique conçue pour cet usage. Faites réchauffer chaque portion pendant 1 $^1/_2$ à 2 min, à température maximale. Remuez ensuite pour distribuer la chaleur uniformément (tous les fours à micro-ondes créent en effet des points chauds et des points plus froids), puis faites chauffer encore pendant 1 min. Laisser reposer 1 min sans découvrir et savourez!

Barbecue

Sachez manier les armes!

La cuisson au barbecue est un plaisir auquel s'adonnent de plus en plus de gourmets, et avec raison! La chaleur de la braise ou des courtes flammes du barbecue au gaz permet d'obtenir des grillades aux fumets inégalables. Mais l'art de la braise fait appel à quelques outils et techniques qu'il convient de maîtriser.

- Huilez la grille avant chaque utilisation. Une grille propre et huilée réduira l'adhérence des aliments et facilitera son nettoyage.
- Préchauffez le barbecue au maximum 5 min avant la cuisson.
- Pour les aliments pouvant facilement glisser à travers la grille, préférez la cuisson en papillote ou les paniers troués spécialement conçus pour le barbecue.
- Égouttez les aliments marinés avant de les déposer sur la grille pour éviter qu'ils ne s'enflamment. En cours de cuisson, badigeonnez de marinade à quelques reprises à l'aide d'un pinceau.
- Retournez les aliments à l'aide de pinces ou d'une spatule et évitez de piquer la viande avec une fourchette pendant la cuisson.

- Manipulez vos instruments (pinces, spatule, pinceau) avec de bons gants isolants.
- La cuisson terminée, grattez la grille à l'aide d'une brosse métallique afin de déloger toutes les particules d'aliments qui y adhèrent. Ainsi, votre barbecue sera prêt pour la prochaine fois !

Vérifiez la température de votre barbecue

C'est maintenant bien connu : pour profiter au maximum de la tendreté et du jus du porc, il faut se garder de surcuire la viande. D'où l'importance de maîtriser la chaleur de votre barbecue, même si celui-ci n'est pas équipé d'un thermomètre.

Le test de la main est l'un des moyens les plus efficaces pour évaluer la température du barbecue. Il suffit de placer la paume de la main de 2,5 à 5 cm (1 à 2 po) au-dessus de la grille et de compter le nombre de secondes pendant lesquelles il vous est possible de tolérer la chaleur.

TEMPÉRATURE DU BARBECUE

Temps	Gril	Température
Si vous pouvez soutenir la chaleur pendant :		
1 sec ou moins	très chaud	plus de 315 °C (600 °F)
1 à 2 sec	chaud	environ 200 à 260 °C (400 à 500 °F)
3 à 4 sec	moyennement chaud	environ 180 à 190 °C (350 à 375 °F)
5 à 7 sec	moyen-faible	environ 165 à 180 °C (325 à 350 °F)

Si vous cuisinez au charbon de bois, vous pouvez aussi observer les braises. S'il y a beaucoup de flammes ou que les briquettes sont d'un rouge vif et recouvertes d'une couche de cendre grise, attendez un peu, car la température est alors trop élevée. Une braise de chaleur moyenne aura une couleur jaune-brun. Combinez cette méthode d'observation des briquettes avec le test de la main pour obtenir une meilleure évaluation de la température.

Et n'oubliez pas que, sur le barbecue, toutes les coupes de porc sont meilleures grillées à chaleur moyenne.

Des rôtis de porc savoureux sur le barbecue

Certains jours d'été, on aime prendre son temps, se faire plaisir sans trop se compliquer la vie. C'est le moment idéal pour cuisiner un succulent rôti de porc sur le gril. Pendant que la belle pièce de viande prend des couleurs sur le barbecue, vous avez tout le temps d'aller chercher votre salade au jardin ou de siroter une bière rafraîchissante en bonne compagnie.

Les rôtis de longe, avec ou sans os, conviennent très bien à la cuisson sur le barbecue. Mais la cuisse offre aussi de belles possibilités, surtout si vous comptez faire mariner la viande avant. Un enrobage d'assaisonnements, frotté à sec ou badigeonné comme une pommade sur le rôti, donnera par ailleurs une chair juteuse et une délicieuse croûte que se disputeront tous les convives !

Pour bien griller votre rôti, l'outil infaillible demeure sans conteste le thermomètre à viande, puisqu'il vous indiquera avec précision si vous avez atteint le degré de cuisson parfaite, soit 70 °C (160 °F). Assurez-vous d'insérer le thermomètre dans la partie la plus charnue du rôti, sans toucher d'os (ni de farce, s'il y a lieu).

Préchauffez le barbecue à chaleur moyenne pendant 10 min environ, puis faites griller le rôti à feu moyen-doux. S'il vente beaucoup ou s'il fait un peu frisquet, vous auriez probablement intérêt à refermer le couvercle. Surveillez alors avec soin le thermomètre à viande, car la chaleur peut devenir très intense dans un barbecue fermé.

Enfin, n'oubliez pas de laisser reposer le rôti à l'extérieur du barbecue, recouvert de papier d'aluminium, pour qu'il reste chaud. Laissez-le ainsi environ 15 min avant de le découper, perpendiculairement aux fibres de la viande. Puis dégustez ce fleuron de la cuisine au gril !

Papier d'aluminium et barbecue : un coup de pouce brillant

Tout le monde apprécie la saveur des grillades sur le barbecue. La chaleur intense peut cependant s'avérer trop élevée pour les pointes des brochettes en bois. Faites-les tremper dans l'eau une demi-heure avant d'y enfiler les cubes de porc et les morceaux de fruits et légumes. Pour protéger les pointes au maximum, recouvrez-les de papier d'aluminium, comme on le fait pour le bout des os d'un carré de porc rôti.

Le papier d'aluminium permet aussi de cuire doucement des aliments sur le barbecue. On appelle ce mode de cuisson humide la « cuisson en papillote ». Sur une grande feuille double épaisseur, placez des petites lamelles de porc tendre, des légumes (taillés finement s'ils sont plus longs à cuire), des fines herbes et autres assaisonnements ou condiments, tels que sauce aux huîtres, moutarde de Dijon ou pesto. Refermez hermétiquement en roulant les bords de papier plusieurs fois sur eux-mêmes. Faites cuire sur la grille du barbecue 10 à 15 min.

une alimentation saine,
une histoire de goût !

M anger sainement vous semble compliqué? Avoir une alimentation variée est certainement l'un des moyens d'y parvenir. À cet égard, les viandes maigres sont un allié de choix dans la recherche et le maintien d'une bonne santé.

Enfants, adolescents, adultes ou aînés, tous peuvent profiter des bénéfices que procurent les viandes maigres comme le porc d'aujourd'hui. En effet, toutes les coupes de porc sont riches en protéines d'excellente qualité et sont des sources inestimables de fer, de zinc et de vitamines du complexe B, des nutriments clés pour la santé. Vous voulez en savoir plus? Voici quelques pistes pour mieux manger en incorporant le porc à vos menus.

Manger sainement

Voilà un concept qui peut prendre une signification bien différente d'une personne à une autre. Dans ses *Recommandations alimentaires pour la santé des Canadiens et Canadiennes,* Santé Canada identifie toutefois les cinq points les plus importants d'une saine alimentation. Voyons donc ces conseils :

1. Agrémentez votre alimentation par la variété.
2. Dans votre alimentation, donnez la plus grande part aux céréales, pains et autres produits céréaliers ainsi qu'aux légumes et aux fruits.
3. Optez pour des produits laitiers moins gras, des viandes plus maigres et des aliments préparés avec peu ou pas de matières grasses.
4. Cherchez à atteindre et maintenez un poids-santé en étant régulièrement actif et en mangeant sainement.
5. Lorsque vous consommez du sel, de l'alcool ou de la caféine, faites-le avec modération.

La viande de porc convient tout à fait à ces orientations nutritionnelles. En effet, selon les critères de Santé Canada, toutes les coupes de porc parées, à l'exception des côtes levées, peuvent être qualifiées de maigres, ou même d'extra-maigres dans le cas du filet, de la fesse et de la coupe du centre de la longe.

Un outil pour une alimentation saine

Le *Guide alimentaire canadien pour manger sainement* précise les besoins nutritionnels de base de toutes les personnes de 2 ans et plus. Outil de choix pour quiconque souhaite évaluer et améliorer son alimentation, le *Guide* présente les groupes d'aliments qui, ensemble, fournissent tous les éléments dont notre corps a besoin. Il recommande, pour chacun de ces groupes, le nombre de portions nécessaires chaque jour pour fournir suffisamment d'énergie, de protéines, de vitamines et de minéraux, que l'on soit un enfant d'âge préscolaire, une jeune femme active, un adolescent en pleine croissance ou un homme âgé et sédentaire.

Le *Guide* souligne notamment l'importance du groupe des Viandes et substituts. On y recommande d'en consommer chaque jour de deux à trois portions. Voici des exemples d'une portion de viande maigre : une côtelette de porc papillon, deux ou trois médaillons de filet ou une croquette de porc haché maigre grillée.

Le porc est plus maigre que jamais!

Au cours des dernières années, la viande de porc est devenue plus maigre grâce à une sélection optimale des animaux et à l'amélioration des méthodes d'élevage. En fait, le milieu de la longe, d'où l'on tire les côtelettes et de nombreux rôtis, est maintenant 42 % plus maigre qu'il ne l'était en 1987!

TENEUR EN GRAS D'UNE PORTION DE 100 g (3 $^1/_2$ oz) DE PORC CUIT

Coupe	En 1987	Aujourd'hui*
Filet	4,8 g	3,6 g
Cuisse, intérieur de ronde	7,6 g	4,1 g
Milieu de longe	11,6 g	6,8 g
Épaule (soc)	13,1 g	10,7 g
Longe, bout des côtes	13,7 g	11,8 g
Côtes de flanc	25,1 g	21,8 g

*Selon les résultats d'une étude scientifique de l'Université de Moncton en 1994.

La petite quantité de matières grasses encore présente dans la viande de porc n'est pas sans utilité : savoureuse, elle « parfume » la chair et la protège du dessèchement pendant la cuisson. De plus, le gras alimentaire est nécessaire à l'absorption des vitamines A, D, E et K et fournit les acides gras essentiels au maintien de membranes cellulaires saines dans notre corps.

Que penser du cholestérol ?

Plusieurs personnes, apprenant qu'elles ont un taux de cholestérol sanguin trop élevé, décident de réduire leur consommation de viande. Or, tous les experts en santé cardiaque s'accordent à dire que la meilleure façon de contrôler son taux de cholestérol est de surveiller sa consommation de matières grasses en général (par exemple, en choisissant des viandes maigres), tout en privilégiant celles qui sont insaturées (polyinsaturées et monoinsaturées). Les matières grasses contenues dans la viande de porc sont insaturées à plus de 50 %.

Par ailleurs, la teneur en cholestérol de la viande de porc est semblable à celle de la poitrine de poulet ou du saumon grillé et reste très raisonnable. Ainsi, une portion de 100 g (3 $\frac{1}{2}$ oz) de longe de porc grillée ne fournit qu'environ le quart du cholestérol suggéré pour une journée. Conclusion : nul besoin de se priver du bon goût de la viande de porc quand on veut garder son cœur en santé !

Le porc : un vrai bon choix !

Non seulement le porc d'aujourd'hui est une viande maigre et saine, mais son profil nutritionnel se compare avantageusement à celui des autres viandes. Constatez-le vous-même : le filet de porc se classe toujours très bien dans le groupe des viandes, volailles et poissons.

INFORMATION NUTRITIONNELLE*

Pour une portion de 100 g (3 ½ oz), cuite	Filet de porc	Filet mignon (bœuf)	Filet de turbot	Poitrine de poulet désossée sans peau
Protéines (g)	30,4	27,7	20,6	32,8
Matières grasses (g)	3,6	10,3	3,8	2,1
Cholestérol (mg)	68	68	62	85
Fer (mg)	1,47	3,69	0,46	0,56
Zinc (mg)	2,63	4,79	0,28	1,00
Thiamine (mg)	0,94	0,10	0,08	0,07
Énergie (calories)	162	211	122	159

*Santé Canada, *Fichier canadien sur les valeurs nutritives,* 1997.

Mais comment la viande de porc peut-elle nous aider à rester en bonne santé ?

Les protéines, comme celles des viandes maigres, aident à contrôler le poids. Leur consommation procure en effet une plus grande impression de satiété. On a ainsi la sensation d'avoir assez mangé. Voilà une bonne façon de limiter les portions ! Vos soupes-repas pourraient contenir, par exemple, une côtelette de porc émincée comme dans la Soupe tonkinoise aux lanières de porc (p. 23).

Trop de femmes ne consomment pas assez de fer. Et de faibles réserves de fer peuvent certainement contribuer à la fatigue chronique ! Le fer fourni par le porc est beaucoup mieux absorbé par l'organisme que le fer contenu dans les légumes, comme les épinards. Pour ce soir, pourquoi ne pas prévoir une Escalope de porc à la compote exotique (p. 209) ?

Chez les enfants, l'absorption de viandes maigres aide à affronter toutes sortes d'infections. Le fer, le zinc et les protéines contenus dans la viande de porc sont nécessaires au maintien d'un bon système immunitaire. Et la saveur douce du porc plaît aux plus difficiles des bambins, surtout lorsqu'on sert cette viande avec des fruits. Essayez les Mini kebabs de porc haché aux fruits (p. 179) : ils en redemanderont !

Le porc est une excellente source de vitamine B12. Cette vitamine, présente seulement dans les aliments d'origine animale, est nécessaire à la formation de globules rouges. Malheureusement, en vieillissant, on l'absorbe moins bien. Raison de plus pour manger suffisamment d'aliments qui en contiennent ! Un Tournedos de porc et salsa de fraises (p. 197) : voilà une façon toute simple de faire le plein de vitamine B12.

Les protéines, notamment celles des viandes maigres, sont digérées plus lentement et permettent une libération plus graduelle de l'énergie. Lorsque le repas du midi n'en contient pas suffisamment, il est bien difficile d'être en forme à la fin de la journée. Ajoutez donc à votre salade verte un reste de Rôti de longe de porc au caramel de pomme et au romarin (p. 83), taillé en fines lanières.

Pour des repas vite préparés, sains et savoureux, choisissez des coupes déjà parées (côtelettes, cubes à brochettes, languettes ou escalopes), et servez des portions moyennes d'environ 100 g (3 $\frac{1}{2}$ oz), soit la grosseur d'un jeu de cartes, ou selon l'appétit de chacun.

Finalement, ne trouvez-vous pas qu'il est facile de bien s'alimenter ? Le porc s'avère un choix judicieux pour ceux et celles qui veulent améliorer leurs habitudes alimentaires, sans jamais sacrifier le goût et la saveur.

index des recettes par coupe

index des recettes

table des matières

Notes

Notes

Notes

Achevé d'imprimer au Canada
en octobre 2001
sur les presses de l'imprimerie Interglobe Inc.